connexion  **LES 400 COUPS**

# Stéphane Tamaillon

# L'Ogre
## de la Couronne

*roman*

connexion ⬡ LES 400 COUPS

Conception et illustration de la couverture : Célina Crochemore
Maquette de la couverture et composition typographique : Nicolas Calvé
Correction d'épreuves : Nadine Tremblay
Direction éditoriale : Christine Féret-Fleury

Dépôt légal : 1$^{er}$ trimestre 2009
Bibliothèque et Archives nationales du Québec
Bibliothèque et Archives Canada

ISBN 978-2-84596-098-5

**Diffusion en Europe**
Le Seuil

Imprimé au Canada sur les presses de Transcontinental Métrolitho.

À Antoine et à Noé, mes petits Apaches adorés.

À Marie-Laure, ma « Blandine ».

À mes parents et à mon grand frère que j'aime profondément.

À J.C. qui, s'il ne sera jamais mon agent,
a droit à plus de 50 % de mon amitié.

À Hub et à Françoise : see you in London.

À la bande de vieux copains, toujours là, fidèle au poste.

À Christophe, pour son soutien amical.

Et surtout à Christine. Merci d'avoir permis à Pierrot et à ses amis
de s'évader de mon imagination pour vous faire vivre leurs aventures.

Prologue
## Paris, 6 avril 1900

VICTORINE POINTREAU, en sortant du café de Gudule, l'Auvergnat qui faisait le coin de la rue de Lappe, se sentait toute guillerette. En partie à cause des verres d'eau-de-vie qu'elle avait avalés — de l'« eau d'aff » comme on disait chez les voyous —, mais aussi parce que le Chauffeur l'avait fait danser presque toute la soirée. Un grand type baraqué au regard électrique. Rien qu'à le regarder, Victorine en avait des frissons. Dieu, qu'il était beau ! Les filles se battaient pour l'avoir à leur bras. Le Chauffeur, ce n'était pas son vrai nom, bien sûr. En réalité, il s'appelait Paul Marcelin. Mais tout le monde le surnommait ainsi, elle ne savait trop pourquoi.

Le pas de Victorine n'était pas très assuré. Elle titubait un peu sous l'effet cumulé de l'alcool et de la fatigue. Il faut dire que les douze coups de minuit avaient sonné depuis longtemps. À cette heure tardive, la rue de Lappe semblait plus tranquille qu'un cimetière. Dans la journée, les troquets où tous les mauvais garçons du coin venaient s'en jeter un dans le gosier entretenaient l'animation. Il y avait davantage de cafés-charbons alignés dans cette rue que de fenêtres à une maison bourgeoise. Le *Tapis-franc*, le *Ferlampier*, l'*Escarpeur* : chacun d'entre eux portait un nom, pittoresque ou inquiétant. La rue de Lappe ne payait pas de mine, avec ses hauts bâtiments noircis et ses murs lépreux, mais le cœur du Paris populaire y battait, fiévreux.

Victorine entendait les flonflons lointains d'un accordéon ; on dansait encore chez Gudule. Le Chauffeur avait sans doute déjà passé ses bras musclés autour d'une autre taille que la sienne. Rien que d'y penser, ça la mettait en rage. Pourtant, elle croyait avoir ses chances. « Je ne suis pas trop vilaine », constata-t-elle en se mirant dans une flaque d'eau. Avec ses yeux en amande et les boucles blondes qui s'échappaient de son bonnet, elle plaisait et en avait conscience. Elle usait d'ailleurs volontiers de ses charmes. Souvent, elle se laissait offrir un verre par des bourgeois venus s'encanailler dans les bas-fonds de la capitale. Rien de bien méchant, mais sa réputation en souffrait. Elle n'avait pas l'impression, pourtant, de faire quelque chose de mal. Quand on est pauvre, la débrouille est un art de vivre. Et sa seule richesse était une bague de pacotille qui ornait l'annulaire de sa main gauche.

Après avoir adressé un clin d'œil à son reflet, la jeune fille reprit son chemin. Elle coupa par la cour

Quettard. C'était un boyau sombre, étroit. Un monceau d'immondices jonchait le sol, dégageant une odeur nauséabonde. « Le parfum de la misère », se dit-elle, non sans amertume. Elle ressentait toujours de l'appréhension à s'engager dans un lieu aussi mal éclairé. « La Ville lumière, tu parles ! » Malgré les 55 000 réverbères installés dans la cité, certaines enclaves restaient dans l'ombre. Au propre comme au figuré : la modernité n'avait gagné que les beaux quartiers.

Victorine souleva sa jupe par l'ourlet pour éviter de la souiller avec la boue du caniveau. Plus loin, les pendus glacés du passage Thiéré l'appelaient de leur clarté rassurante. C'était là qu'elle logeait avec sa mère et ses deux sœurs. Son père était mort il n'y avait pas un an. Une phtisie galopante, à ce que le docteur avait dit.

Clang ! Un son métallique. Comme un bout de ferraille heurtant le sol. La jeune fille s'immobilisa. Figée d'effroi, elle jeta des regards inquiets autour d'elle.

« Allons, se raisonna-t-elle, avec toutes les saletés qui encombrent la ruelle, ce n'est pas étonnant. Sans doute un chat. Un de ces matous maigres et pelés qui hantent les environs à la recherche de quelque chose à se mettre sous la dent. »

Dans la nuit, des formes méconnaissables l'entouraient. N'avait-elle pas vu quelque chose bouger par là ? Victorine plissa les yeux, scrutant l'obscurité. À son grand soulagement, elle distingua les contours d'une pile de vieilles planches et esquissa un sourire.

« Quelle sotte ! Voilà ce que c'est d'abuser de l'eau d'aff. »

Elle se remit en route, pressant le pas. Tandis qu'elle marchait dans la pénombre, ses sens en alerte, la jeune femme eut la désagréable sensation d'être suivie. Attentive à tout bruit ou mouvement suspect, elle fit à nouveau halte. Des pas. Elle était certaine d'avoir entendu des pas. Là, juste derrière elle. Elle se retourna brusquement : personne. Enfin, difficile à dire. Il faisait bien trop noir. Elle tendit l'oreille. Rien. Elle se faisait des idées, voilà tout.

Elle regretta de ne pas avoir choisi de rentrer chez elle par la rue de la Roquette. Le chemin était plus long, mais mieux éclairé. Elle écouta encore. Un bruissement. Prise de panique, elle se mit à courir, le regard fixé sur les lumières qui brillaient à l'autre bout de la rue, persuadée que dans son dos, l'inconnu s'était élancé à sa suite. Elle pouvait presque sentir son souffle sur sa nuque. Une douleur lancinante lui brûlait le côté. Elle avait envie de vomir, l'alcool ingurgité torturant son estomac.

Sans s'arrêter, elle jeta un regard par-dessus son épaule. L'endroit était désert. Perplexe, elle ralentit. Son poursuivant avait fini par renoncer. Sans doute la proximité d'une voie mieux éclairée l'avait-elle découragé ? À moins qu'elle n'eût imaginé ce mystérieux agresseur, prêt à fondre sur elle ? Décidément, il lui faudrait renoncer aux articles du *Petit Journal*. À force de lire ces histoires de meurtres et d'enlèvements, elle perdait la tête. Ses sœurs allaient bien rire quand elle leur raconterait son aventure.

Poussant un soupir de soulagement, elle se pencha en avant. De minuscules étoiles dansaient sous ses paupières closes.

« Ah, on ne m'y reprendra pas, à rentrer à des heures pareilles ! Même pour les beaux yeux du Chauffeur... »

Un peu plus loin, sur la gauche, se trouvait le renfoncement de la cour Quettard. Elle serait bientôt chez elle. Le passage Thiéré n'était plus distant que d'une cinquantaine de mètres.

Soudain, une ombre surgit de l'impasse. Une haute silhouette la dominait. Elle étouffa un cri en découvrant un visage connu.

— Vous ? s'étonna-t-elle, soulagée. Vous m'avez fait peur.

Il la regardait sans mot dire. Ses yeux, pleins d'une colère froide, ne cillaient pas. Victorine recoiffa rapidement ses cheveux puis lissa sa robe de sa main libre. Satisfaite, elle adressa à l'homme son plus beau sourire.

Le poing ganté qui s'abattit rageusement sur la jeune femme effaça définitivement celui-ci de son visage.

# 1
## Pierrot a le béguin

PIERROT marchait d'un pas alerte. C'était la fin de l'après-midi et, au-dessus de sa tête, le timide soleil d'avril jouait à cache-cache avec les nuages.

Arpentant la rue de Charonne jusqu'au faubourg Saint-Antoine, le gamin se sentait comme un seigneur en son fief. Il flânait, saluant tous ceux qu'il croisait, aminches ou simples connaissances.

Il aimait ces quartiers ouvriers : la Villette, Charonne, Ménilmuche [1]... Il avait même habité rue des Cascades, à Belleville. À vrai dire, il n'en gardait aucun souvenir, car il n'était alors qu'un marmot. C'était du temps où son père était encore là, avant que l'alcool et le chagrin d'avoir perdu sa femme l'aient tué. La mère de Pierrot était morte en couches, et avec

_____

1. Le quartier de Ménilmontant, proche de celui de Belleville.

elle la petite sœur promise. Ça faisait un sacré bail. À quatorze ans, le gamin avait vécu presque la moitié de son existence sur le pavé.

Le regard aussi noir que sa chevelure, Pierrot n'était pas bien épais. On n'aurait pas parié sur ses chances de survie dans le Paris hostile de ce début de siècle. Pourtant, des horreurs de toutes sortes, des saletés, il en avait vu ! La misère était une vieille amie. Sans doute la seule qui ne lui eût jamais fait faux bond. On pouvait lire cette longue familiarité dans les grands yeux sombres qui mangeaient presque toute la figure du gamin.

Les mains enfoncées dans les poches de son froc à la mal-au-ventre — un pantalon de velours aux fouilles si larges qu'elles lui permettaient d'avoir toujours les paumes posées sur son ventre, comme si son estomac lui jouait des tours —, Pierrot passa en sifflotant devant une enfilade de troquets plus ou moins recommandables, saluant du chef chaque tête connue. Il était estimé dans les environs et ne pouvait manquer à ses obligations. Il s'arrêta quelques instants pour discuter avec le maréchal-ferrant, mais ne s'attarda pas. Le bonhomme était occupé et n'avait que peu de temps à lui consacrer. Dans la boutique voisine, le charron s'attachait à façonner et à cercler les roues des calèches et des chariots. Le jeune garçon lui lança un bonjour et continua sa route. Plus loin, il croisa des chiffonniers qui allaient de porte en porte, leur sac de chanvre sur l'épaule, quémandant étoffes, tissus et guenilles pour les revendre aux usines de pâte à papier. À nouveau, il s'acquitta des mondanités indispensables en serrant quelques pognes calleuses.

Ici, on trouvait un cordonnier et un tonnelier, là une épicerie borgne et un marchand de vin. Les métiers étaient innombrables. Et Pierrot n'aurait su dire le nombre d'ouvriers du bois attelés à la menuise. Ils étaient des dizaines entre Charonne et la Bastille, le long de la rue du faubourg Saint-Antoine. Bien sûr, il était encore trop tôt pour les filles de joie, qui s'installeraient sous les becs de gaz. De pauvres malheureuses que leur souteneur ne perdait pas de vue : il se postait à quelques pas de là, nonchalamment adossé contre un mur.

Ici, l'adolescent se sentait chez lui. Mais sa promenade avait un autre but, qu'on pouvait résumer en un prénom : Blandine.

À Paris, chaque quartier possédait sa blanchisserie, et celui de la Bastille ne dérogeait pas à la règle. Elle était tenue par une maîtresse femme, la mère Trochard. Dans son commerce, le mari ne faisait que de la figuration. Le patron, c'était elle. Leur fille unique se prénommait Blandine : une jeune beauté de dix-huit ans. Pierrot n'avait pas de linge à laver ou à porter au repassage, mais il ne manquait jamais l'occasion de s'arrêter un instant pour causer avec la demoiselle. Elle avait toujours pour lui un mot gentil. Et parfois même une tartine de pâté, ou de miel ! Pour tout dire, il en pinçait sacrément pour elle.

— Tu te rends compte, elle a un nom de sainte, avait-il dit un jour à Goupil, son meilleur ami.

Son copain s'était moqué de lui. Mais il s'en foutait pas mal. Rien que de se dire qu'il allait bientôt la voir, son cœur faisait des bonds dans sa poitrine.

Impatient, il pressa le pas.

Arrivé à la hauteur de la blanchisserie, Pierrot nettoya du revers de la main la poussière qui maculait ses bottines. Puis, balayant d'un geste la frange qui cachait ses yeux, le gamin réajusta sa casquette sur sa tête et resserra soigneusement le nœud du foulard qu'il portait autour du cou. Il y tenait à ce foulard rouge, étendard de sa nation, celle des Apaches. Pas les Indiens, bien sûr. En tout cas, pas ceux d'Amérique. Ses Apaches à lui vivaient à Paris, près des fortifications. Enfants des rues, gamins miséreux délaissés par une famille trop pauvre pour se soucier d'un énième moutard : ces bandes de mômes ne survivaient que grâce à de menus larcins.

S'armant de son plus beau sourire, Pierrot poussa la porte du petit commerce. Blandine était là, affairée : elle repassait une chemise. Avec ses cheveux d'un blond presque blanc et sa taille fine, la jeune fille ressemblait à un ange tombé du ciel. Même s'il refusait de se l'avouer, c'était avant tout pour elle qu'il s'accrochait aussi férocement à la vie.

— Bonjour, Blandine ! lança-t-il d'un ton joyeux.

— Tiens, Pierrot... dit-elle en se détournant un instant de son ouvrage, ça va aujourd'hui ?

— Au poil, je viens te faire une petite visite... comme tous les jours, ajouta-t-il en riant.

Ils discutèrent ainsi de tout et de rien, Blandine repassant et lui, jacassant comme une pie. Pierrot ne se lassait pas de la regarder. En contemplant sa bien-aimée, le gamin se disait que « belle » n'était pas un terme assez fort pour la définir.

Au bout d'une demi-heure, la mère Trochard sortit de l'arrière-boutique pour exiger que sa fille s'activât davantage. Pierrot se vit obligé de partir.

De toute façon, il reviendrait le lendemain.

Posté de l'autre côté de la rue, l'homme regarda le gamin quitter la blanchisserie. Il l'avait déjà vu dans les parages. La jolie blonde, sur le pas de la porte, agitait la main. Elle était magnifique. L'homme la voulait. Il la désirait plus qu'aucune autre. Maintenant qu'il la voyait de si près, il était stupéfait par sa ressemblance avec « Elle ». Blandine était son portrait craché.

Frottant nerveusement ses paumes l'une contre l'autre, il fit crisser le cuir de ses gants, criblé de petites taches brunes.

Des taches de sang séché.

## 2
## Mais où est donc passé Goupil ?

BON SANG, mais que fabriquait Goupil ? Depuis près d'une heure, Pierrot l'attendait, perché sur les parapets, en haut des fortifs, comme un foutu piaf sur sa branche. Ce satané rouquin allait l'entendre, sûr ! Dès qu'il pointerait son nez grêlé de taches de son dans le coin, Pierrot comptait te l'enguirlander bien comme il faut. C'est qu'il ne faisait pas chaud. Dix heures allaient sonner et des rafales glacées s'engouffraient sous ses vêtements, transperçant le maigre rempart de sa veste élimée et de ses culottes trouées. Haut dans le ciel, la lune, ronde et brillante, semblait le narguer.

Le vent souffla un peu plus fort, lui subtilisant une série de frissons, comme un habile voleur à la tire. Maudit rouquin ! De la graine de démon, ceux-là... on avait bien raison de le dire ! À rester planté, Pierrot allait finir par attraper la mort.

Il contempla l'horizon. De là, on dominait tout l'est de la cité. Depuis 1860, le mur d'Adolphe [2] concrétisait les limites de la capitale. Limitée par la ceinture noire des fortifications, une bande de trois cents mètres de large faisait le tour de Paris. On l'appelait la Zone. C'était le refuge des miséreux. Ceux-ci avaient édifié sur leur fief des bicoques de bois vermoulu. Mine de rien, l'endroit accueillait plus de trente mille « habitants ». Tous vivaient illégalement sur ces bourbiers au relief imprécis. Mais ce n'était pas avec ses huit mille agents de ville que la police allait les déloger. Les poulagas avaient d'autres chats à fouetter. Du coup, mendiants, voleurs et chiffonniers occupaient le terrain. Des guinguettes miteuses poussaient même sur les collines pelées.

La plupart des Apaches possédaient leurs quartiers dans le coin. Au cœur de ce qu'on appelait « la Couronne ». Pour les bourgeois, la Couronne représentait le pire bastion de la vermine. Pierrot le savait et en tirait une certaine fierté. C'était chez lui : le royaume des voyous et des sans-grade. Les rupins voulaient voir en Paris une cité moderne et immaculée. Quand on pensait à tous les crève-la-dalle qui hantaient les faubourgs, ça le faisait bien rigoler.

Ah ! elle était belle leur modernité ! Pierrot préférait cent fois son indépendance et ses copains. Sans oublier Blandine, bien sûr.

---

2. Adolphe Thiers, qui fit construire les fortifications sous le règne de Louis-Philippe.

S'arrachant à ses rêveries, l'adolescent constata qu'une bonne demi-heure venait de s'écouler. Son ami n'avait toujours pas pointé son nez. Le rouquin n'était pas très futé, mais d'ordinaire il se montrait ponctuel. Son retard inquiétait Pierrot. Ce soir, ils devaient tous deux jouer les barons pour le Verveur, le troisième larron de la bande. Goupil le savait et n'aurait raté ça pour rien au monde. Il adorait rabattre les clients pour le jeu de « hasard » dont le Verveur s'était fait le spécialiste : le bonneteau. Un numéro dans son genre, le Verveur, crieur de journaux le matin et arnaqueur en soirée.

« Satané poil de carotte ! » pesta Pierrot en se relevant droit sur ses quilles.

Avec prudence, il descendit du parapet et atterrit sans dommage sur la terre presque nue de la Zone. L'herbe était ici aussi exceptionnelle que les cheveux sur la tête d'un chauve. Il scruta l'horizon : toujours pas de Goupil.

« Bah, il aura sans doute oublié », se dit-il pour se rassurer. Le Verveur l'attendait rue de Lappe, il lui fallait faire vite. À cette heure avancée, les clients se faisaient rares. Son partenaire ne serait pas content. C'est qu'il avait mauvais caractère, le bougre !

Prenant ses jambes à son cou, Pierrot fila comme le vent à travers le labyrinthe des baraquements insalubres.

# 3
## Victorine fait les gros titres

Le Verveur fulminait. Ces deux andouilles, Pierrot et Goupil, venaient de lui faire perdre son temps et son argent. Surtout son argent! Posté sur le trottoir, à quelques mètres du café de Gudule, il faisait le pied de grue depuis maintenant plus de deux heures. Et pour rien! Ah ça! ils allaient l'entendre! il leur cornerait si fort aux oreilles qu'ils en deviendraient sourds.

Il sortit son jeu de cartes. Ce soir, il s'était quand même débrouillé pour arnaquer deux ou trois «clients». Décidé à ne pas en rester là, il interpella un jeune ouvrier d'une vingtaine d'années qui se dirigeait d'un pas décidé vers le troquet. Un grand type, plutôt costaud.

— Hé! le fier-à-bras! Une petite partie? On gagne à tous les coups!

Intrigué, le passant semblait hésiter.

— Y a rien de plus facile, il suffit juste de retrouver la bonne carte parmi les trois, lui expliqua le Verveur en présentant les deux rois noirs et la dame de cœur. On fait plus compliqué, non ?

Le gaillard rejoignit le petit bonneteur et s'agenouilla à ses côtés. Pas très sûr de sa décision, il interrogea :

— Et comment ça marche, ton bazar ?

— Tu vas voir... répondit le Verveur en disposant les trois cartes sur le trottoir.

Après les avoir retournées, face cachée contre le sol, le gamin les mélangea d'un geste rapide. Puis il proposa à l'ouvrier de désigner la dame de cœur. L'autre pointa le roi de trèfle. Déveine ! Déterminé, il demanda à réessayer.

Malgré toute sa concentration, le bonhomme fut obligé de crier grâce après cinq passes de bonneteau. La carte qu'il montrait du doigt n'était jamais la bonne et le Verveur l'encourageait sans cesse à retenter sa chance.

— J'ai plus un sou, se désola-t-il finalement en présentant les poches retournées de son pantalon.

— Ça marchera mieux une aut' fois, rigola le Verveur.

Grimaçant de dépit, l'ouvrier s'éloigna d'un pas traînant. Ce n'était pas ce soir qu'il pourrait se jeter un verre dans le gosier !

En déboulant en haut de la rue de Lappe, Pierrot vit le Verveur qui fourrait son paquet de cartes dans sa veste. Grand et vigoureux, la deffe [3] bien vissée sur le crâne, son aminche avait une sacrée allure. C'est que la casquette, ça comptait par ici : question de prestige ! Derrière lui, un grand balaise s'en allait en pleurnichant. Encore une victime de son talent de bonneteur, Pierrot en aurait parié sa chemise. En apercevant le gamin, le Verveur se dirigea vers lui d'un pas décidé et, menaçant, l'empoigna par le col.

— C'est à cette heure-ci que tu débarques ? Tu te fiches de ma pomme ou quoi ?

Son regard vert lançait des éclairs.

— Désolé, s'excusa Pierrot, j'avais rendez-vous avec Goupil.

Le Verveur rejeta sa casquette en arrière, laissant ses cheveux blonds s'échapper en mèches désordonnées de son couvre-chef.

— Et où il est ? demanda-t-il, étonné.

— J'en sais fichtre rien, répondit Pierrot. Je l'ai attendu sur les fortifs un sacré bout de temps, mais pas de Goupil.

— Il a dû oublier, supposa le Verveur en s'asseyant sur le bord du trottoir.

— Ouais, sûrement, lâcha le petit brun, pas convaincu.

---

3. Casquette très populaire à la fin du XIX$^e$ siècle. Fabriquée par le chapelier Desfoux, elle est affectueusement surnommée la *deffe*.

Décidé à ne plus se faire de mauvais sang, Pierrot changea de sujet :

— Qu'est-ce que c'est ? demanda-t-il en désignant une des poches de la veste du Verveur.

— Quoi donc ? s'étonna le bonneteur. C'est juste un journal, j'en ai gardé un après les avoir « criés » à la Bastille ce matin.

— Je le vois bien, ballot, je te parle de ce qu'il y a dessus ! Les lettres, là ! insista le gamin en pointant du doigt un gros titre.

— Ah, ça ! Une fille a disparu. C'est pour ça que j'ai conservé ce canard. Tu sais que c'est mon passe-temps.

Contrairement à beaucoup de gosses des rues — dont Pierrot — le Verveur savait lire. Il collectionnait avec passion les articles évoquant les affaires les plus sordides : assassinats, enlèvements, rapines... Il n'avait qu'un an de plus que Pierrot, mais il était à lui seul une véritable encyclopédie du fait divers. Le *Diderot et d'Alembert* du crime et de la forfaiture.

— Alors ? s'enquit Pierrot, impatient.

Il adorait qu'on lui fasse la lecture. Pour lui, être capable de déchiffrer ces mystérieux hiéroglyphes relevait de la pure magie.

— Ça vient, ça vient, me presse pas, laisse-moi le temps de décrypter le canard, temporisa le Verveur. Ah ! voilà : *Mystérieuse disparition à la Bastille. Le vendredi 6 avril au soir, Mademoiselle Victorine Pointreau, 18 ans, fileuse de son état, a disparu sans laisser de traces après avoir quitté le café de Gustave Dulempier. Sa mère et ses sœurs, inquiètes de ne pas la trouver dans son lit le matin suivant, ont alerté la police dès le lendemain. Elle ne s'est pas non plus rendue à son travail. Son employeur, Monsieur Gustave Fontemps, patron de l'atelier textile Fontemps, a indiqué ne pas l'avoir vue depuis le jour de sa disparition.*

— Victorine ? s'étonna Pierrot. La gironde du passage Thiéré ? Celle qui ne crache pas sur l'eau d'aff ?

Pierrot voyait bien de qui il s'agissait. Elle ressemblait vaguement à Blandine, avec ses cheveux blonds et ses yeux bleus. Même si, question beauté, elle ne lui arrivait pas à la cheville.

— Celle qui ne « crachait » pas sur l'eau d'aff, dit cyniquement le Verveur. Elle n'est pas prête de boire à nouveau un petit verre. Ou alors en enfer !

Pierrot fit la moue. Il n'aimait pas les détails morbides.

Chez Gudule, on entendait l'accordéon et la cabrette [4] se livrer un duel acharné. Il avait besoin de se changer les idées. Sacrément besoin, même.

— Allez, viens, dit le Verveur qui avait remarqué le malaise de son ami, je t'offre à becqueter.

---

4. Sorte de luth auvergnat.

# 4
# Chez Gudule

LE TROQUET de Gudule ne payait pas de mine. Des portes de bois vermoulu donnaient accès à une salle étroite. On les laissait ouvertes pour profiter de l'éclairage du bec de gaz planté au coin de la rue de la Roquette. À l'intérieur, quelques tables bancales se partageaient l'espace avec le zinc aux moulures décrépites et au métal cabossé. Une poignée de verres ébréchés s'alignaient sur ce dernier, prêts à l'emploi. Une bâche avait été tendue sur le mur pour cacher les plaques de salpêtre. Trois planches malhabilement fixées faisaient figure d'étagères pour les bouteilles et les pichets. Dans un coin, un portemanteau manchot croulait sous les fringues des habitués, juste à côté d'une pile de paniers et de cageots, reliquat des livraisons passées.

Si l'endroit était sordide, il était pourtant fréquenté. Toute une faune le hantait, du petit malfrat au gros caïd, en passant par les ouvriers du quartier. Quelques bourgeois venaient même s'y encanailler.

Pierrot laissa errer son regard sur l'assistance. Pendant ce temps, le Verveur avait entrepris de convaincre la patronne de les autoriser à manger à l'œil. Cette grosse bonne femme rougeaude et sympathique menait les affaires, car, les trois quarts du temps, son mari était bien trop saoul pour veiller au grain. Ayant obtenu gain de cause, le Verveur brandit un pouce triomphant à l'intention de Pierrot et ne tarda pas à revenir, muni de son butin : deux belles tartines de pâté. Ils s'attablèrent à l'écart, pour mieux observer les autres clients. Un peu plus loin, le Chauffeur faisait les yeux doux à une fille. À la table d'à côté, deux ouvriers et un bourgeois discutaient.

Tout le monde savait qui était ce rupin : Monsieur Fontemps, le propriétaire de l'atelier textile. Âgé d'une soixantaine d'années, il était grand, soigné de sa personne, et des bacchantes en guidon de vélo décoraient sa lèvre supérieure. Bien qu'il appartînt à un autre univers, il n'était pas rare de le voir pointer son nez chez Gudule. Il était veuf depuis des années et la compagnie distrayait sans doute sa solitude. Selon Pierrot, ce n'était pas un mauvais bougre. Fervent catholique, il essayait de garder les « brebis égarées » dans le bon chemin. Il déplorait les habitudes prises par les ouvriers : alcool, trafics louches et filles légères. Les pauvres de Paris avaient peu à peu perdu la foi dans le bruit assourdissant des machines industrielles. Le sentiment d'injustice était trop fort. L'existence n'avait pas le même goût pour les gros et les maigres, les nantis et les crève-la-faim. Exploités par les patrons, mal aimés des pouvoirs publics, beaucoup d'ouvriers pensaient que Dieu les avait abandonnés et ne voulaient plus rien savoir de lui.

Pour le moment, le vieux bonhomme vantait les mérites de l'Exposition universelle qui allait bientôt ouvrir ses portes :

— Il est important que cette exposition se tienne à Paris, tentait-il d'expliquer à ses interlocuteurs, c'est la vitrine de notre pays exposée aux yeux du monde, voyons !

Tout en l'écoutant, les ouvriers dégustaient un verre de vin rouge.

— J'veux bien, dit l'un des deux gars, portant blouse et casquette, mais à quoi ça va nous servir, nous autres ?

— Enfin, messieurs, argumenta le bourgeois, n'êtes-vous pas fier de votre pays ? Ne souhaitez-vous pas qu'il demeure une grande puissance ? Cette exposition va montrer à nos homologues étrangers la grandeur de notre nation ! Notre formidable avancée dans le domaine des techniques industrielles !

— Sauf votre respect, vos machines et vos techniques extraordinaires, vous pouvez vous les garder, elles n'ont fait que remplir les portefeuilles des gens riches. Et pas mes fouilles, dit le second ouvrier en désignant ses poches de pantalon.

— Y a pas plus vrai, rigola l'homme à la casquette.

Gustave Fontemps semblait découragé par tant de bêtise. Cela faisait plus de dix ans qu'il attendait cet événement. Depuis 1889, date de la dernière exposition parisienne. Cette fois, la ville avait vu les choses en grand. Des pavillons symbolisant tous les États se dressaient le long des quais de la Seine. Aucune nation n'était oubliée. Encadrant le Champ-de-Mars, de véritables palais illustraient tous les secteurs industriels, de la chimie au génie civil, en passant par les transports, la métallurgie, la mécanique ou encore les fils, tissus et vêtements. Ce dernier domaine était cher au cœur de Fontemps. C'était dans ce pavillon que se trouvait la partie réservée à son atelier. Son entreprise serait ainsi connue du monde entier.

— Ne vous en déplaise, affirma le vieux bourgeois, je serai sur place pour participer à l'inauguration. Elle aura lieu sur le Champ-de-Mars. Le président de la République en personne fera un discours sur l'industrie, il est même prévu qu'il me cite en exemple ! Vous réalisez ? Un tel honneur !

Il prit un air rêveur avant de reprendre :

— Si vous changez d'avis, je vous donne rendez-vous le jour de l'inauguration, le 14 avril. Vous êtes mes invités.

— Bah, si y a un coup à boire, commenta le premier ouvrier, pourquoi pas !

L'autre, avalant d'un trait le contenu de son verre, s'esclaffa.

— Vous êtes incorrigibles, se désespéra le bourgeois, et il quitta la table pour aller s'accouder au zinc.

Pierrot n'avait pas raté une miette de cet échange. La modernité, il s'en fichait bien. Le gamin l'avait même prise en grippe : l'industrie et ses miracles ne profitaient qu'aux riches. Mais quand même, ça devait être quelque chose, cette Exposition universelle.

Ignorant qu'on les écoutait, les ouvriers continuèrent leurs bavardages :

— C'est pas la pauvre Victorine qui pourra s'en jeter un à cette occasion, ni danser une dernière valse avec le Chauffeur...

L'homme leva son verre vide en l'air, indiquant ainsi à la bistrote qu'il en reprendrait bien un petit.

— Une bien triste histoire, approuva son commensal. Elle bossait pour le vieux, non ?

— Il l'a vite oubliée, à ce que je vois. Il ne pense qu'à son « bazar » universel.

Pierrot trouvait que les deux gars étaient sévères avec Fontemps. Malgré tout, il l'aimait bien, ce vieux.

Il en était là de ses réflexions quand il remarqua un grand type efflanqué, doté d'un nez en bec d'aigle et d'un regard de prédateur :

Feuillade !

Les bras croisés posés sur le comptoir, l'inspecteur de la Sûreté Hubert Feuillade écoutait, sans en avoir l'air, les conversations. Pierrot donna un coup de coude au Verveur et lui désigna le policier du menton. Le regard de son copain s'alluma. Il roula des yeux pour exprimer sa surprise.

Bien qu'il ne fût pas exceptionnel que les poulagas vinssent aux nouvelles dans les lieux mal famés, Pierrot était intrigué. Feuillade ne se montrait pas très discret. Il cherchait clairement à affirmer sa présence. Si chacun faisait mine de l'ignorer, tous les voyous présents l'avaient remarqué. Pierrot dévisagea le policier avec méfiance.

« Qu'est-ce que cette cogne fabrique ici ? »

# 5
## La montre du riffard

FEUILLADE lorgnait l'assemblée miséreuse rassemblée
sous ses yeux. Il n'éprouvait aucune compassion. Tous
brigands, voleurs et assassins — de son point de vue.
Même les deux gosses attablés au fond de la salle ne
bénéficiaient pas de son indulgence. « Des meurtriers
en devenir. » Il avait une haute opinion de l'ordre et de
la justice. L'ordre surtout. Il détestait tout ce qui pouvait le remettre en cause.

Ce soir, il n'avait aucune piste sérieuse à explorer
concernant l'enquête qu'on venait de lui confier. Mais
il faisait confiance à son intuition. Il dirigea son regard
sur le Chauffeur :

« Celui-là a forcément quelque chose à se reprocher. Ils ont toujours quelque chose à se reprocher. »

Après tout, la demoiselle Pointreau avait ses habitudes ici. Et le 6 avril dernier, c'était au bras de Marcelin

qu'elle s'était pavanée toute la soirée. Cela ne constituait pas une preuve, mais c'était suffisant pour le pousser à approfondir ses recherches.

Même s'ils ne le montraient pas, sa présence ne passait pas inaperçue chez les voyous. Cela lui convenait. C'était d'ailleurs ce qu'il souhaitait. Il voulait faire peur. Que sa seule venue fût ressentie comme une menace. L'inspecteur Feuillade savait par expérience que ce genre de menace incitait les truands à faire des erreurs, souvent fatales. Cela ne faisait que trois jours que l'ouvrière avait disparu. Il lui fallait battre le fer tant qu'il était chaud.

Il observa attentivement le Chauffeur. Il ferait un bien beau coupable. Sa réputation n'était plus à faire. Son envie de coincer le jeune homme ne remontait pas à hier, mais jamais il n'avait réussi à rassembler assez d'éléments pour y parvenir. Âgé d'à peine vingt-trois ans, Paul Marcelin avait de nombreux talents : vols, rapines, violences, et bien sûr chauffage, une coupable activité à l'origine de son surnom. La technique était peu commune. Elle consistait à maintenir par la force les pieds de pauvres malheureux au-dessus du foyer d'une cheminée. Tout cela pour leur faire avouer l'endroit où ils avaient caché leurs économies.

« Oui, un bien beau coupable », se répéta-t-il juste avant que la musique ne le ramenât à l'instant présent. L'accordéoniste entama une java, bientôt suivi par la cabrette. Le Chauffeur jeta son dévolu sur la grande Huguette Desjardins, une fille plutôt jolie, au regard clair. À bien y regarder, Huguette aussi avait un petit air de ressemblance avec Blandine. Quelque chose dans les yeux...

D'une belle stature, l'homme était solidement charpenté. Son buste taillé en V impressionnait les donzelles, mais aussi les gars, qui le jalousaient ou le prenaient pour modèle. Il soignait son allure : sa veste de lustrine noire mettait en valeur sa chemise rouge vif, et sa deffe était bien ajustée sur ses cheveux blonds coupés court. De plus, Pierrot ne pouvait le nier, le Chauffeur savait s'y prendre pour ce qui était de la danse. Ce qui l'étonnait, c'était qu'il eût si vite oublié la jolie Victorine. Le vendredi précédent, Pierrot l'avait vu la faire valser toute la soirée, peu avare de bécots dans le cou et de clins d'œil complices. À moins que...

Le soupçon qui pointait n'eut pas le temps de se préciser, car le regard du gamin fut attiré par une montre à gousset qui pendouillait hors de la poche d'un bourgeois. Elle ondulait à la manière d'un pendule. Le riffard tapait la causette avec une fille pas plus fraîche que lui. À eux deux, ils avaient dû vider la moitié de la réserve d'eau d'aff de Gudule. Avec la ronde des couples qui se trémoussaient sur la piste, il ne serait pas très difficile de dérober la montre.

Le Verveur avait remarqué le manège de son copain et, s'il ne disait mot, on pouvait lire la désapprobation dans son regard :

« Trop risqué, surtout avec Feuillade dans la salle. »

Mais Pierrot n'en avait cure. Et puis, s'il réussissait ce coup-là, c'était la gloire ! Pensez donc, au nez et à la

barbe d'un inspecteur de police ! Il resterait dans les
annales comme le plus grand voleur de tous les temps.

Il se lança. Se frayant un chemin parmi les danseurs,
il s'approcha de sa proie, bien trop imbibée d'alcool
pour sentir venir le danger. Se courbant, le jeune Apache
tendit le bras. Encore une seconde... il y était presque !
Mais alors que ses doigts frôlaient la montre, une main
puissante se referma sur son poignet. Pierrot se redressa
brusquement, s'attendant à voir le faciès du rupin, ou
pire, la face menaçante de Feuillade. Mais il se retrouva
nez à nez avec Marcelin. Le regard du jeune homme
était d'acier. Une certitude glaça Pierrot : le Chauffeur
avait tué Victorine, et maintenant, c'était son tour !

Feuillade n'avait rien manqué de l'incident. Il s'approcha à grands pas, interrompant les festivités. La musique cessa et les couples s'immobilisèrent, silencieux.

— Que se passe-t-il ici ? demanda l'inspecteur d'un
ton autoritaire.

Le Chauffeur ne répondit rien. Il se contenta de
tourner la tête et de poser son regard azur sur la cogne.

— Alors ? J'attends ! dit Feuillade.

— Rien, marmonna Marcelin entre ses dents.

Le policier insista :

— Si ce n'est rien, alors pourquoi malmènes-tu ce
garçon, Marcelin ?

Comme par réflexe, le Chauffeur relâcha aussitôt
son étreinte.

— C'est ma faute, dit Pierrot, je...

D'un regard, Marcelin le fit taire. Visiblement, il ne
tenait pas à ce que le môme se dénonçât.

— Voyons, inspecteur, intervint Gustave Fontemps, toujours prompt à rétablir la paix. Est-ce si grave ?

Le bourgeois avait quitté sa place, près du comptoir, pour se rapprocher du trio.

— En fait, j'ai glissé, expliqua Pierrot, traversé par un éclair de génie. Ce monsieur m'a rattrapé. D'ailleurs, je l'en remercie. En chutant, j'aurais pu me faire vilain.

Feuillade semblait se tâter, toujours suspicieux.

— Laissez donc ces jeunes gens tranquilles, inspecteur, je m'en porte garant, insista le vieil homme avec mansuétude.

Autour d'eux, l'assistance retenait son souffle. Le Verveur s'était fait tout petit dans son coin. Hébété, le riffard que Pierrot avait voulu dépouiller écoutait la discussion sans rien y comprendre. Fin saoul, il ne s'était rendu compte de rien.

Feuillade finit par donner son approbation.

— C'est bon pour cette fois, déclara-t-il, solennel, en se détournant du Chauffeur.

À la porte du troquet, il se ravisa et interpella une dernière fois Marcelin :

— Je t'ai à l'œil ! lui lança-t-il en guise d'avertissement.

Le grand blond ne répondit rien, se contentant de hocher du menton pour montrer qu'il avait saisi le message.

Feuillade finit par quitter les lieux, suivi, quelques minutes plus tard, par Marcelin. Les trouble-fête partis, la soirée reprit son cours. Vers minuit, Pierrot et le Verveur se retrouvèrent dehors. Pierrot eut la peur

de sa vie en constatant que Marcelin se trouvait encore
là, à quelques mètres à peine de chez Gudule. Le grand
costaud était en pleine discussion avec un gamin
édenté, à l'œil torve. Bouffe-Cailloux. Un fichu voyou,
celui-là. Fondus dans la nuit, les deux compères semblaient conspirer. Les laissant à leurs manigances, les
gamins reprirent le chemin de la Zone.

— Crois pas t'en tirer comme ça, éructa le Chauffeur
en s'éloignant, je finirai bien par avoir le fin mot de
l'histoire !

Bouffe-Cailloux fut soulagé de le voir tourner les
talons. Ce n'était pas trop tôt ! L'édenté cracha par terre
avec mépris. Il n'avait pas du tout apprécié cette
conversation. Et puis, il lui avait piqué la bague. C'était
embêtant.

Enfin, ce gêneur parti, il pouvait à présent retour-
ner à ses affaires. Il devait faire son rapport.

« Justement, voilà le patron. » L'homme l'empoigna par le bras et l'attira dans l'ombre :

— Pas en pleine lumière, voyons, le morigéna-t-il.

— C'est que... ça y est, c'est livré, bredouilla Bouffe-
Cailloux.

— Bien, bien, approuva l'autre en le lâchant. C'est
parfait. Tu peux disposer... Moi, j'ai à faire, ajouta-t-il
en suivant des yeux une silhouette qui s'éloignait dans
la pénombre.

Abandonnant l'édenté, il enfila ses gants et emboîta
le pas à la fille.

# 6
# Un coup au cœur

PIERROT frotta ses yeux encore englués de sommeil. Après avoir coiffé sa casquette, il quitta à regret sa paillasse, seul luxe qu'offrait son abri. Située au cœur de la Zone, la cabane avait été bâtie à l'aide de planches mal coupées. Elles n'empêchaient pas l'eau de suinter, mais protégeaient un peu le garçon des intempéries, ce qui était mieux que rien.

Habituellement, il partageait ce refuge avec Goupil, un autre orphelin. Mais le rouquin manquait toujours à l'appel. Pierrot avait veillé une bonne partie de la nuit, dans l'espoir de voir son ami rentrer au bercail, mais son attente était restée vaine. Épuisé, il avait fini par s'assoupir.

Tout en enfilant sa veste, il quitta sa masure. Dehors, le soleil lui caressa le visage de ses rayons. Il était presque midi. Le Verveur devait déjà crier ses journaux à la Bastille. Il décida de le rejoindre.

Mais pas sans un petit détour pour saluer Blandine.

Devant l'insistance du garçon, Blandine ne put s'empêcher de rougir. Troublée, le feu aux joues, elle tenta de se concentrer sur sa tâche. Sa mère lui avait demandé de trier le linge avant qu'elle le porte au lavoir.

— Allez quoi, un petit tour de piste, la relança le beau gosse aux yeux bleus. Je m'y connais en valse et en java, j'vous assure.

N'osant pas le regarder, la lavandière esquissa un sourire. Le garçon sauta sur l'occasion :

— Ah ! un sourire. Serait-ce un oui ?

— Peut-être, murmura-t-elle en coinçant derrière son oreille une longue mèche de cheveux qui lui retombait devant les yeux. Je ne sais pas trop.

— Allons, c'est dit ! affirma le gars, sûr de lui. Je passerai vous prendre ce soir.

Blandine récupéra un second sac de linge sale et le vida sur le sol. Elle se redressa, s'essuya le front, puis déclara tout net :

— Ah non ! Pas en semaine, vous n'y pensez pas ! Ma mère... Samedi plutôt !

— Bon, va pour samedi, concéda le bellâtre, beau joueur, en lui prenant doucement les doigts de la main droite.

La jeune fille les lui retira promptement.

— Je dois encore y réfléchir, se déroba-t-elle.

Elle se posta devant la fenêtre pour contempler la rue et ses passants.

« Je suis folle, se dit-elle, ce garçon n'est pas pour moi. Il est dangereux et sa réputation bien mauvaise. » Pourtant, son cœur lui envoyait des signaux contradictoires. Chaque fois qu'elle croisait le regard azur, elle manquait défaillir. Sérieuse et bien éduquée, Blandine n'aurait jamais cru possible de succomber aussi facilement au charme d'un voyou. Elle savait pertinemment de quoi ces derniers étaient capables. Mais, malgré tout, elle ne pouvait s'empêcher de lui trouver un *je-ne-sais-quoi* qui faisait chavirer sa raison.

Il se tenait juste derrière elle. Blandine pouvait sentir son souffle chaud sur sa nuque. Délicatement, il posa ses mains puissantes sur les épaules de la jeune fille.

Elle ne savait comment réagir et attendait le miracle susceptible de lui éviter de faire une bêtise.

Elle remercia le ciel quand elle vit surgir Pierrot.

Pierrot ne se trouvait plus très loin de la blanchisserie. Elle était facile à repérer. Alors que les façades de la rue étaient noires et délabrées, la petite boutique des Trochard offrait une devanture propre et accueillante. À travers la vitre, le gamin aperçut Blandine qui lui faisait bonjour de la main. Le visage de Pierrot s'illumina un court instant, juste le temps de remarquer la sinistre silhouette qui venait de rejoindre la lavandière sur le seuil : le Chauffeur !

Marcelin l'interpella en ricanant :

— Hé, le mouflet, c'est pas toi qu'as voulu faire les poches à ce bourgeois, hier soir ?

Le gaillard passa son bras autour de la taille de Blandine. Bien que visiblement surprise, elle le laissa faire. Le souffle coupé, le gamin ne répondit pas, gardant ses réflexions pour lui-même.

« Qu'est-ce qu'il fiche là, ce type ? Il a rien à faire ici ! Pas chez Blandine ! »

Il sentit un tison brûlant lui transpercer le cœur. Sa peur venait de se transformer en une haine tenace.

— Bonjour, Pierrot, dit Blandine avec sa gentillesse habituelle. Tu veux une tartine ?

— Non... non merci, balbutia-t-il avant de prendre ses jambes à son cou et de disparaître au coin de la rue, courant plus vite que si sa vie en dépendait.

— Drôlement pressé, le marmot, constata le grand costaud, en se passant la langue sur les dents.

— Oui, drôlement, confirma Blandine, soucieuse.

« Quelle mouche l'a piqué ? » se demandait-elle avec inquiétude. C'est qu'elle l'aimait bien le Pierrot.

« Pauvre gosse... »

À quelques pas de là, l'inspecteur Feuillade, à l'abri de son journal déplié, surveillait discrètement Paul Marcelin. Assis sur le siège surélevé du décrotteur, le policier laissait l'homme lui cirer les chaussures. Sous le soleil de midi, son chapeau melon projetait une ombre qui coupait en deux son nez crochu.

La veille, l'escarmouche avec le gamin était tombée à pic. Marcelin savait maintenant que Feuillade ne le lâcherait pas d'un pouce. Ça allait le miner. Et, à un moment ou un autre, il ferait un faux pas. Il suffisait juste d'être patient. Il jeta un œil sur les gros titres du *Petit Journal*. Petit à petit, les preuves s'accumulaient contre le Chauffeur.

Une minute plus tard, Marcelin sortit de la boutique, saluant d'un hochement de tête la jolie lavandière. Repoussant sa casquette sur l'arrière de son crâne, il remonta la rue de Charonne en sifflotant un air joyeux. Feuillade jeta une pièce dans l'écuelle posée au pied de l'estrade. Puis, l'air de rien, il fit un signe presque imperceptible à l'agent de ville qu'il avait posté à l'angle de la rue de Lappe. Obéissant, le subalterne se mit à filer le train au Chauffeur.

# 7
## Une nouvelle disparition

— ÉDITION SPÉCIALE ! Le *Petit Journal* ! Achetez le *Petit Journal* ! Exceptionnel ! s'époumonait le Verveur.

Installé sous un réverbère au pied de la colonne de Juillet, il tentait d'attirer le chaland. Deux rangées de becs de gaz encerclaient la place de la Bastille. À la nuit tombée, ils s'illumineraient. Mais pour l'heure, la vingtaine de pendus glacés étaient en sommeil. Tout autour de la place, de hauts immeubles dominaient la rue. Le blondinet se sentait tout petit à l'ombre de ces bâtiments. Il leva la tête vers le ciel, s'assurant que l'ange doré qui surmontait la colonne veillait toujours sur lui. Son stock de canards coincé sous l'aisselle, le Verveur tendit la feuille de « une » sous le nez d'une élégante bourgeoise qui se promenait au bras de son mari, une ombrelle à la main.

— Le *Petit Journal* ! Achetez le *Petit Journal* !

L'homme lui glissa une pièce. Quand le couple se fut éloigné, le gamin relégua au fond de sa poche la broche qu'il venait de voler à la dame. Puis, piochant dans sa pile un autre exemplaire du quotidien, il reprit, infatigable :

— Édition spéciale ! Le *Petit Journal* ! Exceptionnel !

Quand Pierrot arriva en vue de la Bastille, le soleil avait séché ses larmes. Mais la jalousie et la colère lui dévoraient le cœur. De part et d'autre de la place, de larges artères filaient vers l'horizon. Ces grands boulevards voyaient circuler des piétons, mais aussi des chariots, des calèches et des fiacres. Allant à leur rythme tranquille, les bicyclettes côtoyaient quelques rares automobiles. Se faufilant entre les voitures, Pierrot réussit à gagner sans mal l'emplacement qu'occupait le Verveur.

— Édition spéciale ! Achetez le *Petit Journal* ! L'Ogre de la Couronne fait une nouvelle victime ! annonçait son ami.

Resté à l'écart, Pierrot eut tout le loisir d'observer le crieur de journaux, qui vendait un exemplaire à un vieux bourgeois. En expert, il apprécia aussi sa technique quand son ami subtilisa discrètement le mouchoir brodé qui dépassait de la poche du riffard. Puis il s'approcha.

— Qu'est-ce que tu racontes ? L'ogre de quoi ?

— L'Ogre de la Couronne ! Tu lis pas les journaux, ma parole !

— Très drôle. Et c'est qui cet ogre, dis-moi ?

— D'après ce que raconte le babillard, ce serait lui qui aurait enlevé Victorine. Et maintenant Huguette, à ce qu'il paraît ! Tiens, regarde, dit le Verveur en lui montrant un feuillet.

— Huguette ? La grande blonde qui était chez Gudule hier soir ?

Pierrot lui arracha le journal des mains. Lui qui ne savait pas lire comprit immédiatement le sens de l'image qui faisait la « une ». Réalisé dans des teintes sombres, le dessin représentait une ruelle sordide. Une jeune femme, prise au piège dans un cul-de-sac, levait les bras devant son visage, l'air horrifié. Une grande ombre à forme humaine la dominait, menaçante.

Se penchant par-dessus l'épaule de Pierrot, le Verveur lut la légende à haute voix :

— *Le mystérieux Ogre de la Couronne frappe à nouveau.*

Qu'est-ce que les journalistes n'allaient pas inventer ! L'Ogre de la Couronne, n'importe quoi...

D'après le journal, la police était sur les dents. Mais, après tout, cet assassin présumé n'avait pour l'instant laissé aucun cadavre derrière lui.

Le tirant de sa rêverie, le Verveur déclara, à moitié sérieux :

— Si ça se trouve, c'est un coup de Gudule !

— Quoi ?

— Pourquoi pas ? Les deux filles étaient des habituées de son troquet, non ? rétorqua le blondinet.

— Cette outre pleine de vin ? un kidnappeur ? fit Pierrot, incrédule. Je pencherais plutôt pour le

Chauffeur. Il les connaissait. Il a dansé avec elles juste avant leur disparition. D'abord Victorine, et maintenant Huguette. Ça fait pas mal de coïncidences, tu trouves pas ?

« Et maintenant, pourquoi pas Blandine ? Le Chauffeur lui tourne autour », s'inquiéta Pierrot. Cette pensée le fit frissonner.

— D'après moi, si on n'a pas vu Goupil depuis deux jours, c'est parce qu'il s'est fait enlever, supposa le Verveur, désinvolte. L'Ogre n'a pas pu résister à ses cheveux carotte et à son gras-double, ajouta-t-il en riant.

Cette dernière remarque n'amusa pas du tout Pierrot. Ils ne savaient pas ce qu'était devenu leur ami. Et filer voir les cognes, il ne fallait pas y compter. Un gamin des rues en moins, ce n'était pas un problème pour eux, plutôt une bénédiction. La loi exigeait que l'on débarrassât la voie publique de ces enfants de personne, qui pullulaient dans les villes. Placés ou emprisonnés, peu importe. Alors, un môme qui ne donnait plus signe de vie, ce n'était pas une priorité. Pierrot et le Verveur pouvaient toujours se mettre en chasse. Mais dans une cité de près d'un million d'habitants, autant chercher une aiguille dans une meule de foin...

Prenant conscience qu'il était sans doute allé trop loin, le Verveur posa une main sur le bras de son camarade :

— Désolé l'aminche, je voulais pas...

Pierrot le repoussa. Il fixait le trottoir de l'autre côté de la rue.

— Hé! je t'ai dit que j'étais désolé. Faut pas le prendre comme ça, quoi!

— Non, c'est que... voulut s'expliquer le garçon en pointant son doigt vers l'angle du boulevard Beaumarchais.

— Quoi donc? interrogea le Verveur, ne pigeant pas.

L'attrapant par la nuque, Pierrot le força à regarder dans la même direction que lui.

— Regarde! chuchota-t-il en désignant une silhouette rondelette.

Plissant les yeux, le Verveur aperçut un gamin grassouillet, qui avait quitté son trottoir pour venir à leur rencontre. Il boitait et semblait mal en point. Ses vêtements étaient déchirés et maculés de boue et de sang séché.

— Goupil! s'exclama le blondinet.

Le rouquin n'était pas seul. Un grand gaillard aux joues noires de suie l'accompagnait.

## 8
# Le retour de Goupil

GOUPIL claudiqua jusqu'à eux. À quelques pas
derrière lui, l'autre garçon poussait une brouette pleine
de charbon. Il pouvait avoir seize ans et son visage
anguleux, aux joues creuses, surmontait un corps long
et fluet. Pierrot le connaissait de vue, pour l'avoir
souvent croisé dans le quartier. On le surnommait
Crincrin. Les roues de sa brouette grinçaient si abominablement ! Le surnom s'était imposé. L'horrible couinement évoquait le jeu d'un mauvais violoniste.

Précédé de Goupil, Crincrin rejoignit Pierrot et le
Verveur devant leur lampadaire et déposa délicatement sa charge sous le regard attentif des deux gamins.
Goupil s'assit à leurs pieds. Il semblait avoir besoin
d'un peu de temps pour reprendre son souffle ; des
questions brûlaient les lèvres de Pierrot. Le livreur de
charbon, qui ne lui prêtait aucune attention, semblait

soucieux de n'avoir rien perdu de son précieux chargement.

Rassuré, le grand gaillard finit par faire face au trio, un sourire engageant aux lèvres.

— C'est votre poteau ? demanda-t-il, montrant Goupil.

Intimidés, Pierrot et le Verveur opinèrent du chef.

— Ben, l'est dans un sale état. Et encore, vous l'auriez reluqué quand je l'ai récupéré hier soir, c'était pire.

En effet, Goupil n'était pas beau à voir. Le visage tuméfié, un coquard violacé autour de l'œil droit, la lèvre inférieure fendue comme un fruit trop mûr : celui qui l'avait tabassé n'y était pas allé de main morte.

— Qui lui a fait ça ? demanda le Verveur, furieux.

— Ben, je sais pas trop, il a pas voulu m'le dire, répondit Crincrin. Moi, je l'ai juste trouvé allongé sur le macadam. Il était dans les vapes.

— Et... ? dit juste Pierrot pour l'inciter à poursuivre.

— Ben, je l'ai chargé sur ma brouette pour le ramener là où je crèche, continua le livreur en ôtant sa casquette pour se gratter la tête. Ce matin, votre copain m'a expliqué que des poteaux à lui seraient sûrement à la Bastoche vers midi. Comme j'avais des livraisons dans le coin, ben, nous voilà.

Pierrot constata avec amusement que Crincrin plaçait des « ben » un peu partout dans ses phrases. Une sorte de tic de langage.

— Qui t'a mis dans cet état, Goupil ? interrogea Pierrot en s'adressant cette fois directement à son ami.

Le rouquin ne répondit pas. Il semblait durement éprouvé par les événements de la veille.

— Goupil ! Bon sang ! s'emporta le Verveur, prêt à lui filer un coup de pied pour le faire réagir.

Pierrot lui lança un regard noir. Il s'agenouilla ensuite auprès du gamin et lui prit la main.

— Goupil, dit-il simplement.

Un silence pesant suivit. Puis, le rouquin entrouvrit la bouche et chuchota :

— C'est...

— Oui ? l'encouragea le petit brun.

— ... Bouffe-Cailloux, lâcha dans un souffle le jeune blessé.

# 9
# Bouffe-Cailloux

LES TROIS MÔMES étaient assis côte à côte sur le trottoir de la rue de la Roquette. Ils avaient décidé de suivre Crincrin dans sa tournée de livraison. Les fesses posées sur le pavé humide, ils attendaient que le livreur de charbon se mît au travail. Ce dernier leur donna satisfaction en sortant un lourd trousseau de clés de sa poche.

— Qu'est-ce que c'est ? se moqua le Verveur. Les clés du Paradis ?

— Ben, ça mon gars, lui répondit-il avec fierté, c'est ce qui me permet d'ouvrir tous les soupiraux [5] que j'veux.

_____

5. Un soupirail est une ouverture pratiquée au bas d'un bâtiment pour permettre aux livreurs de charbon d'y déposer leur marchandise.

— Tous ? s'étonna timidement Goupil, toujours crédule.

— Ben non, pas vraiment. Mais tous ceux des clients réguliers, ça oui.

Il souleva le trousseau et montra l'une des tiges métalliques de son index famélique.

— Chaque clé donne accès à un soupirail, dit-il d'un air de conspirateur. Comme ça, ben, j'peux balancer de grandes pelletées de charbon dans la cave sans avoir besoin de déranger le proprio ou le locataire.

Joignant le geste à la parole, Crincrin utilisa la clé pour déverrouiller le soupirail. Il empoigna ensuite la pelle posée au travers de sa brouette et entreprit de vider une partie du combustible dans la cave.

— Y en a dont je connais même pas le visage, c'est vous dire, continua-t-il tout en accomplissant sa tâche. Ils paient à l'avance. Mon patron a des clients un peu partout dans l'est de Paris.

Il se redressa et, repoussant sa casquette en arrière, s'essuya le front :

— Ben, moi, ça fait que je m' balade de la Bastille jusqu'à la Villette. C'est d'ailleurs là que j'ai trouvé votre aminche.

Sur ce, Crincrin se remit au travail. Pierrot, étonné, apostropha Goupil.

— La Villette ? Mais qu'est-ce que tu fabriquais à la Villette ? Je t'attendais aux fortifs.

Le rouquin piqua un fard, comme un gosse pris la main dans le sac.

— J'étais en route, j' te jure, mais j'ai fait un petit détour par les abattoirs.

— Les abattoirs ? releva le Verveur, intrigué.

Il s'agissait d'un ensemble de bâtiments protégés par de hautes et larges grilles. Pour des raisons d'hygiène, on l'avait installé, une trentaine d'années plus tôt, à la périphérie de la ville. On y croisait tous les négociants de la capitale et des environs. Certains menaient leurs bêtes à la bascule, espérant en tirer le meilleur prix ; d'autres venaient récupérer les animaux découpés ou désossés pour leurs étals. Pierrot et le Verveur ne comprenaient pas très bien pourquoi Goupil s'était rendu sur les lieux. Surtout après l'heure de fermeture !

— C'est que... bredouilla le rouquin, gêné. Le lundi soir, ils sortent les viandes qui ont tourné le dimanche. Alors, une fois les asticots enlevés, ben... C'est toujours de la viande, quoi.

Ses deux copains firent une grimace de dégoût.

— Ohhh, Goupil... soupira le Verveur, qui imaginait avec effroi son poteau dévorant à belles dents un quartier de bidoche grouillant de vers.

— J'en ai pas mangé, se défendit le rouquin. En fait, ça fait bien un mois qu'on n'en trouve plus. Comme s'ils ne jetaient plus rien.

Surmontant sa répulsion, Pierrot questionna :

— Ça ne nous dit toujours pas comment tu t'es retrouvé dans cet état. Qu'est-ce que Bouffe-Cailloux vient faire là-dedans ?

Bouffe-Cailloux avait gagné son surnom lors d'une rixe. Il n'avait alors que dix ans mais, mauvais comme une teigne, s'était mis en tête de provoquer un autre garçon, de quatre ans son aîné. Le combat fut inégal. Après l'avoir copieusement matraqué de ses poings, l'adversaire de Bouffe-Cailloux l'avait « fini » à coups de grosses pierres dans la trogne. La moitié des dents du gamin était restée sur le pavé. Quelques jours plus tard, son bourreau avait été retrouvé le nez dans le ruisseau, un poignard planté dans le ventre. Chacun avait compris, sans rien en dire, que l'édenté avait pris sa revanche.

Bouffe-Cailloux ne sortait jamais sans ses trois compères : Taureau, Qu'un Œil et l'Affreux. De drôles de lascars. Jeunes encore, à peine seize ans, ils composaient pourtant un sacré quatuor de fripouilles. Pierrot était curieux de savoir dans quelle vilaine histoire Goupil avait bien pu se fourrer.

— Je ne comprends pas pourquoi ils me sont tombés sur le poil, lui et sa bande ! finit par cracher le rouquin, sur la défensive. On s'est trouvés face à face devant l'abattoir. Je m'apprêtais à fouiller dans les poubelles, à la recherche d'un peu de bidoche, quand ils se sont amenés. Ils trimballaient de gros sacs de chanvre. Quand ils m'ont vu, ils n'ont fait ni une ni deux. Ils ont balancé leur fardeau pour me frapper. Encore et encore. J'ai rien compris.

— Et c'est tout ? s'enquit le Verveur, perplexe.

— Oui, juste ça. Enfin, sauf que...

— Quoi donc ? demanda Pierrot.

— Avant que je tombe dans les pommes, ils m'ont lancé un avertissement. Du moins, ça y ressemblait. Un truc du genre : « Et surtout, ne parle de ça à personne ! T'as rien vu ! »

Goupil fronça les sourcils et plissa du même coup son nez constellé de taches de rousseur.

— Mais j'ai pas pigé, ajouta-t-il naïvement, parce que, justement, j'ai rien vu, moi !

*Rien vu, hein ?* En y réfléchissant, Pierrot n'en était pas si sûr. Trop d'éléments convergeaient : la disparition des filles, le Chauffeur qui dansait avec elles puis discutait avec Bouffe-Cailloux, et maintenant cette histoire avec l'édenté près des abattoirs...

Tout cela était lié. Pierrot ne savait pas comment, mais il était persuadé que s'il apprenait ce que transportait la bande de Bouffe-Cailloux dans les sacs de chanvre, ce renseignement le mènerait droit au Chauffeur. Et du même coup, à l'Ogre de la Couronne. Car à présent, il était certain que Marcelin et l'Ogre n'étaient qu'une seule et même personne. Et jamais il ne laisserait ce monstre toucher à un cheveu de la tête de Blandine.

Cette fois, c'était décidé. Il allait mener sa propre enquête !

# 10
## Une filature qui tourne mal

En début de soirée, Feuillade rejoignit l'agent chargé de suivre le Chauffeur. Le gardien de la paix lui fit son rapport et prit congé. Apparemment, Marcelin n'avait rien fait de répréhensible durant l'après-midi. Ni dans la matinée. Avant de passer sa pause de midi à la blanchisserie Trochard, le grand costaud s'était simplement rendu à son travail.

Première surprise pour le policier ! Le voyou avait un emploi : ouvrier dans la scierie à vapeur du passage Josset, à deux pas du faubourg Saint-Antoine. Feuillade, qui regrettait de ne pas avoir mieux à se mettre sous la dent, décida de prendre les choses en main. Ce soir, il filerait en personne le Chauffeur.

Pierrot se glissa, en silence, à la suite de Bouffe-Cailloux et de ses comparses. Le garçon laissa prudemment une vingtaine de mètres entre eux et lui. S'ils le repéraient, l'édenté et sa bande lui feraient payer cher son indiscrétion. Il resterait sur le pavé. Pour toujours. La nuit était claire, et le petit brun distinguait sans peine les quatre silhouettes qui se faufilaient dans les ruelles sordides de la capitale.

Suivant son chef de près, Taureau portait bien son nom. Un mètre quatre-vingts pour quatre-vingt-dix kilos ! Une véritable masse. Une force de la nature, garde rapprochée de Bouffe-Cailloux. Qu'un Œil arborait un crâne rasé et un œil en moins, arraché le soir où l'Affreux avait perdu son nez. Après une baston, ce dernier avait éu le malheur de tomber entre les mains des voyous d'une bande adverse. Ils l'avaient ligoté et lui avaient tranché le pif en guise de représailles. Qu'un Œil, venu à son secours, y avait laissé un de ses yeux. Pas de chance pour ces deux fripouilles.

Soudain, Pierrot se plaqua contre le mur. Bouffe-Cailloux venait de s'immobiliser. L'édenté, méfiant, scrutait l'obscurité.

— Qu'est-ce qu'y a ? demanda Taureau de sa voix gutturale.

— Ch'ais pas, dit Bouffe-Cailloux, j'ai cru que...

— Que quoi ? l'interrogea à son tour Qu'un Œil.

Le chef de bande ne répondit pas tout de suite, cherchant à discerner quelque chose — ou quelqu'un — parmi les ombres qui grignotaient la rue. Au bout d'un moment, il finit par lancer :

— Non, rien.... Ça doit être mon imagination.

Il se remit en route, ses complices lui collant aux basques.

Pierrot poussa un soupir de soulagement. Il tremblait de tous ses membres. Durant un bref instant, il avait bien cru que le voyou l'avait repéré. Quand il eut retrouvé son sang-froid, le gamin se décolla du mur pour poursuivre sa traque, tâchant de se faire le plus discret possible.

Feuillade attendit que le Chauffeur sortît de chez Gudule. Il avait de la chance, ce soir le grand costaud ne semblait pas vouloir s'attarder. Quand il apparut, le policier se mit en chasse.

Marcelin s'engagea dans la rue de Lappe, puis bifurqua en direction du faubourg Saint-Antoine. Il marchait d'un pas tranquille, sifflotant une chanson populaire. À bonne distance, l'inspecteur Feuillade ne le perdait pas de vue. Lorsque le Chauffeur déboucha sur le faubourg, il marqua un temps d'arrêt pour allumer une cigarette. Après avoir tiré deux ou trois bouffées sur sa tige, il suivit le chemin qui conduisait à la place de la Nation.

Le policier se demandait où l'énergumène allait le mener quand le grand blond se faufila soudain dans un passage qui s'ouvrait sur la gauche. Courant presque, Feuillade se précipita et ne ralentit qu'à l'entrée de la ruelle.

Celle-ci se terminait sur une large cour fermée. Encadrée de bâtiments, elle se trouvait plongée dans la pénombre. Une fabrique de meubles. La cour était encombrée d'armoires et de commodes en cours d'achèvement. Des chaises pas encore paillées s'empilaient, en équilibre précaire. Impeccablement alignées, trois charrettes et une camionnette automobile attendaient les prochaines livraisons.

« Où est-il donc passé ? » s'interrogea Feuillade. Le Chauffeur n'avait pu aller bien loin dans ce cul-de-sac. L'inquiétude gagnait le policier. S'était-il fait repérer ? Avec tout ce bric-à-brac, la cour devenait une cachette idéale. À la faveur de la nuit, ce voyou avait peut-être décidé de lui tendre une embuscade.

L'inspecteur fouilla dans sa poche et en sortit son revolver. Un Lefaucheux de 1870, plus très jeune, mais toujours aussi efficace. Il ne faisait pas trop confiance aux armes modernes et sans fumée. Il avança prudemment, son arme braquée droit devant lui, prêt à faire feu. Le Chauffeur pouvait s'être dissimulé n'importe où.

Malgré toutes ses précautions, son pied accrocha une pile de chaises qui s'écroula dans un fracas assourdissant. Feuillade pesta. Si Marcelin ne l'avait pas repéré, maintenant c'était fait ! De grosses gouttes de sueur lui coulaient dans les yeux. Il s'épongea le front du revers de la main. Ses mains étaient moites et la crosse de son revolver en devenait glissante.

« Tout va bien, calme-toi », se rassura-t-il, serrant les dents.

Il attendit un long moment en silence, sondant l'obscurité. Rien. Reprenant sa progression, il traversa la cour sans trouver trace du costaud. C'est alors qu'il remarqua la porte. Elle se trouvait dans le mur du bâtiment le plus éloigné. La serrure avait été forcée. Entrouverte, la porte bâillait sur l'intérieur d'un atelier. Le policier lui assena un grand coup de pied, la faisant sortir de ses gonds. Mais son entrée en force ne fit peur qu'aux gaspards, les rats qui hantaient les ateliers.

Des gouges, des rabots, des ciseaux à bois. Rien d'autre. La lumière d'un réverbère éclairait la scène par une autre porte, située de l'autre côté de la vaste pièce. Feuillade poussa un grognement de frustration. Le Chauffeur devait déjà être loin.

Arrachant son couvre-chef de sa tête, le policier le jeta rageusement par terre. Il venait de se faire avoir.

La filature de Pierrot l'avait mené jusqu'aux hauteurs de Ménilmontant. À Ménilmuche, les rues semblaient se multiplier comme par magie pour composer un véritable labyrinthe. Bouffe-Cailloux et les siens avançaient vite, changeant de cap aussi rapidement que la foudre qui s'abat sur un arbre. Pierrot avait du mal à suivre. Il les vit s'engager dans une ruelle, mais quand il tourna le coin de celle-ci, les quatre voyous avaient disparu. La ruelle donnait sur trois autres voies. Difficile de deviner celle qu'ils avaient empruntée. Le garçon s'assit sur le bord du trottoir, dépité.

«Ah, c'est malin, crétin, se morigéna-t-il, comment tu fais maintenant?»

Pierrot aurait pu rester prostré un bon moment, mais des bruits de pas l'alertèrent. Il se posta à couvert, derrière des poubelles débordantes d'ordures.

De là, il pouvait voir sans être vu. Il n'eut pas long-temps à attendre : l'édenté déboucha dans la ruelle. Suivi de ses complices, il évoluait prudemment en jetant des regards furtifs autour de lui. Les quatre com-pères portaient un sac de chanvre sur l'épaule.

Un miaulement fit sursauter Pierrot. Attiré par les détritus, un gros chat tigré le regardait de ses yeux jaune pâle. Il semblait demander : *Que fais-tu ici ? c'est mon territoire.* Le gamin tenta bien de le chasser du pied, mais l'animal n'en fit qu'à sa tête, répétant sa question en langue féline.

Il allait finir par alerter Bouffe-Cailloux et sa bande !

Pierrot agita la main devant le museau moustachu, espérant faire peur au félin. Mal lui en prit, car le greffier bondit sur lui avec un feulement sauvage. Déséquilibré, le gamin chuta lourdement sur le sol, entraînant les poubelles dans son sillage. Leur contenu se déversa sur les deux adversaires.

— Qu'est-ce que... ? grogna Bouffe-Cailloux en entendant le vacarme.

Il vit d'abord le chat, qui fila sans demander son reste, puis Pierrot. Ce dernier tentait désespérément de se dégager des immondices répandues sur le sol.

— Chopez-moi ce petit curieux, ordonna le voyou à ses sous-fifres.

# 11
## En mauvaise posture

Taureau se rua sur lui comme... un taureau. Il soufflait bruyamment par les naseaux... le nez, telle la bête du même nom. Pierrot eut à peine le temps de repousser la dernière des poubelles ; le colosse déchaîné allait l'aplatir comme une crêpe. Esquivant l'attaque dans une parade désespérée, le gamin roula sur le côté. La brute alla s'écraser par terre. On entendit un craquement effroyable quand son nez se brisa contre le bord du trottoir.

Pierrot se redressa à moitié, un genou à terre. Mais Qu'un Œil et l'Affreux ne comptaient pas lui laisser un instant de répit ! Ils chargeaient déjà, prenant la suite de leur collègue. D'un bond, le gamin fut sur ses pieds et leur envoya le couvercle d'une poubelle. Fendant les airs, le projectile alla faucher le borgne au niveau des chevilles. Il s'affala comme un château de

cartes. Pris par surprise, l'Affreux buta sur lui et effec-
tua un beau vol plané pour finalement atterrir, la tête
la première, dans les ordures. Il se releva aussitôt, cra-
chant des bouts de salade défraîchie. Taureau et Qu'un
Œil étaient eux aussi en passe de retrouver leurs esprits,
et leur agressivité.

— Bande d'incapables, hurla Bouffe-Cailloux, vous
allez l'attraper, oui ? Il est minuscule, bon sang !

Pierrot prit la fuite. Courant à perdre haleine, il
entendait le bruit des semelles de ses poursuivants qui
battaient le pavé, juste derrière lui. Jetant un rapide
coup d'œil par-dessus son épaule, il vit que le gang le
talonnait de peu : Bouffe-Cailloux, Qu'un Œil, l'Affreux
et... mais où était Taureau ?

Le colosse l'attendait au bas des marches. Un sourire hideux déformait sa bouche, rouge du sang qui
s'écoulait de son nez. Coupant à travers rues et ruelles,
le sbire de l'édenté l'avait précédé. Pierrot décida de
jouer l'effet de surprise. Il sauta sur la rampe et se laissa
glisser, jambes fléchies et bras tendus pour garder
l'équilibre. Pas dupe, Taureau lança son poing au
moment même où le môme allait toucher terre. Il le
frappa durement à l'épaule et l'envoya valdinguer deux
mètres plus loin, juste devant l'atelier d'un menuisier.
Pierrot heurta un stock de planches qui dégringola
sous le choc.

Sonné, le garçon tenta bien de se remettre sur ses
quilles, mais retomba lourdement sur le macadam. Sa
vision se dédoublait. Il se sentait près de perdre
conscience.

Non ! Il devait se ressaisir ! Cette brute s'apprêtait à lui donner le coup de grâce. Ce n'était pas le moment de lâcher prise !

Taureau se pencha au-dessus de lui, pas peu fier de son mauvais tour. Sans ménagement, il empoigna Pierrot par le col. Puis, sortant un couteau de sa poche, il déclara cyniquement :

— Dis au revoir, bonhomme.

C'est l'instant que Pierrot choisit pour le frapper à l'aide d'une des planches qui traînaient à terre. Il y mit toute sa force.

— N'y compte pas, crétin ! répliqua-t-il en sentant des tremblements remonter du bout de bois jusque dans ses bras.

Encaissant le coup, Taureau resta debout. Mais il chancelait, vibrant comme un gong heurté par un marteau. Le môme en profita pour se faufiler entre ses jambes et filer comme l'éclair. À peine eut-il dépassé le colosse que celui-ci s'effondra. Dévalant les dernières marches des escaliers, Bouffe-Cailloux et les deux autres, sans un regard pour leur complice, se lancèrent sans tarder à la poursuite de Pierrot.

Le gamin cavalait comme un dément. Seule une infime portion du paysage restait nette, au centre de son champ de vision. À gauche comme à droite, il ne distinguait que des lignes floues. Il bifurqua sans réfléchir, empruntant la première rue qui se présentait. Il ne connaissait pas vraiment le quartier et se fiait à son instinct. Il s'engagea dans une allée commerçante. En apercevant les enseignes de bistrots, Pierrot se prit à espérer. Justement, un jeune ouvrier sortait d'un des troquets. Le gamin lui adressa de grands gestes. Malheureusement, le noctambule ne lui prêtait pas attention, trop occupé à ouvrir la bouteille d'eau d'aff qu'il venait sans doute d'acheter.

Tant pis ! L'évitant de justesse, Pierrot continua sa course folle. À quelques mètres derrière lui, l'Affreux gagnait peu à peu du terrain. Ses longues jambes lui avaient permis de devancer ses acolytes. Bientôt, il serait sur le garçon. Mais contrairement à Pierrot, il ne réussit pas à esquiver l'ouvrier et le heurta de plein fouet. La bouteille d'alcool voltigea dans les airs avant de se briser contre un mur. Fou de colère, son propriétaire attrapa l'Affreux par le menton et lui asséna un coup de poing qui l'envoya au tapis.

— Non, mais c'est pas vrai ! déclara l'ouvrier furibard. D'abord ce gamin qui m'escroque ma paye au bonneteau, et maintenant ce gars-là qui me ruine ma boutanche. Quand est-ce que je peux boire un verre peinard, moi ?

Pierrot reconnut le grand type que le Verveur avait arnaqué le lundi précédent. Décidément, le monde était petit !

Il avait gagné une assez bonne avance sur ses poursuivants. Enjambant un muret, il s'enfonça dans un dédale de ruelles. Bouffe-Cailloux et Qu'un Œil accélérèrent. Le gamin venait de disparaître. Pas question qu'il leur échappe ! Ils ne ralentirent même pas devant l'Affreux qui gisait à terre, inconscient. Apparemment, le sens de la camaraderie n'était pas leur fort. Bien décidées à faire sa fête à l'espion, les deux fripouilles sautèrent le muret. Quand ils virent Pierrot se diriger vers une petite rue tortueuse, ils triomphèrent. Le gamin était cuit. Il venait de s'engager dans une impasse !

Pierrot comprit vite son erreur. La rue se transformait en un goulet étroit. Mais lorsqu'il se décida à faire demi-tour, il était trop tard. L'édenté ouvrit un rasoir d'un geste leste. Le saisissant par son manche nacré, il fit étinceler la lame à la faveur d'un rayon de lune. *Je te promets une bien triste fin*, semblait dire son sourire malveillant. Qu'un Œil s'était glissé sur la gauche de Pierrot et Bouffe-Cailloux sur sa droite. Ils voulaient le prendre en tenaille. Les voyous se déplaçaient rapidement, le dos courbé, prêts à bondir sur leur proie.

L'adolescent, affolé, regarda au-dessus de lui. Mais la hauteur des murs décourageait toute tentative d'escalade. Il avait le souffle court et des sueurs froides parcouraient son échine plus vite qu'une locomotive à vapeur. Qu'un Œil sortit une chaîne de sa poche et la fit tournoyer dans l'air comme une masse d'armes. Pierrot balaya du regard le fond de l'impasse, à la recherche de quelque objet susceptible de lui servir d'arme défensive. Mais il ne trouva rien. Cette fois, c'était la fin.

C'est alors qu'une voix forte et autoritaire retentit :

— Et si vous vous en preniez à quelqu'un de votre taille ?

# 12
## Un secours inattendu

LE CHAUFFEUR se tenait bien droit, les poings sur les hanches. Sa silhouette massive se découpait sur le ciel nocturne, à l'entrée de l'impasse. Dans l'obscurité, on ne distinguait pas les traits de son visage, mais ses pupilles étincelaient de colère.

— Dégage ! vociféra Bouffe-Cailloux. C'est pas tes affaires, Marcelin ! Ça r'garde que nous !

Pour toute réponse, le grand costaud marcha sur eux. L'édenté cracha par terre, l'air mauvais. Il faisait passer son rasoir d'une main à l'autre, se préparant à l'assaut. Qu'un Œil se plaça derrière lui. Sa chaîne tournait toujours au bout de son bras, pareille aux ailes d'un moulin.

Le borgne fut le premier à frapper. Dépassant son chef dans un volontaire effet de surprise, il abattit sauvagement sa chaîne sur le Chauffeur, comme un fouet.

Marcelin para l'attaque de son avant-bras et saisit les anneaux de métal. D'une secousse, il attira à lui son agresseur. Ce dernier, désarçonné, pivota sur lui-même comme une toupie. Le grand blond en profita pour lui faire une clé de bras, de sa main libre. Puis il le força à s'agenouiller avant de lui balancer un puissant coup de genou dans les gencives. Qu'un Œil piqua du nez dans le caniveau.

Bouffe-Cailloux fonça sans attendre, son bras armé tendu en avant. Marcelin brandit la chaîne entre ses deux mains, en guise de barrage. La lame du rasoir vint se ficher dans l'un des maillons et se brisa. Le Chauffeur attrapa l'édenté par le cou et le plaqua contre le mur. Il le souleva de terre en le maintenant de sa seule main gauche. Les mâchoires du costaud étaient si contractées qu'on entendait ses dents grincer.

Bouffe-Cailloux suffoquait. Un filet de bave s'écoulait de sa bouche. Ses pupilles avaient basculé pour ne plus laisser voir que le blanc de ses yeux.

Pierrot s'accrocha à la veste de Marcelin :

— Lâche-le, lui dit-il paniqué, tu vas le tuer !

Mais le Chauffeur ne l'entendait pas. Ses doigts se crispaient sur la gorge de Bouffe-Cailloux, lui arrachant un râle effroyable.

— Arrête ! hurla Pierrot.

Le poing droit de Marcelin partit et percuta les briques avec une violence inouïe. Le coup s'abattit à deux centimètres du visage de l'édenté, laissant une large fissure sur le mur. Comme à regret, le costaud relâcha

Bouffe-Cailloux. L'adolescent tomba à terre aussi mollement qu'une poupée de chiffon.

Le Chauffeur restait muet. Frottant ses phalanges écorchées, il poussa un soupir.

— Ça va ? demanda prudemment Pierrot.

— Pas de problème, répondit Marcelin avec un sourire. Et toi ? C'est bon ? Ils ne t'ont pas fait de mal ?

— Non, quelques bleus, mais rien de plus.

Dubitatif, l'enfant fixa son sauveur. Se pouvait-il qu'il se fût trompé sur le compte du Chauffeur ? Après l'intervention musclée de ce soir, les certitudes de Pierrot volaient en éclats. Aveuglé par la jalousie, il avait peut-être fait fausse route. En tout cas, la supposée complicité avec Bouffe-Cailloux ne tenait plus.

Étendu sur le pavé, l'édenté crachait comme un asthmatique. Il s'appuya sur ses coudes et leva la tête vers eux :

— C'est pas fini, les avertit-il d'une voix enrouée. C'est pas fini...

— Barre-toi, lui ordonna le Chauffeur.

— J'y vais, répliqua le voyou en se redressant péniblement. Mais j'ai un truc à te dire d'abord...

Il marcha d'une démarche grotesque jusqu'à la sortie du cul-de-sac, manquant plusieurs fois de perdre l'équilibre.

— ... c'est pas la peine d'amener ton linge à laver demain, ricana-t-il. Quelqu'un s'en est déjà chargé.

Sur cette phrase énigmatique, Bouffe-Cailloux disparut dans la nuit.

— Qu'est-ce qu'il a voulu dire ? s'étonna Pierrot.

— Je sais pas trop, il est cinglé.

— Et lui ? On en fait quoi ? dit le gamin en désignant le corps inerte de Qu'un Œil.

— T'en fais pas, le rassura le grand costaud. Il se réveillera dans quelques heures avec un sacré mal au crâne. Ça lui servira de leçon.

Pierrot émit un rire timide, puis fit quelques pas avant de s'effondrer. Le Chauffeur se précipita. Il passa son bras sous sa nuque et lui tapota la joue.

— Oh gamin ! Tu es sûr que ça va ?

— Je me sens un peu faible, chuchota le petit brun.

— Depuis quand t'as pas becqueté ?

Pierrot hésita avant de répondre :

— Hier soir, finit-il par avouer.

— Depuis hier ? Ça fait un bail, dis-moi. Bon, je sais c'que j'ai à faire...

Le Chauffeur chargea le garçon sur son épaule comme un sac de grains. Il se dirigea ensuite d'un pas décidé vers l'ouverture du boyau.

— Où on va ? demanda Pierrot d'une voix blanche.

— Se taper un petit gueuleton, le renseigna Marcelin en rigolant.

## 13
# Une nuit tragique

UNE FLEUR poussée sur l'ordure. Il la voyait ainsi. Un petit miracle.

Cette fille était différente. Différente des deux autres, qu'il avait déjà fait disparaître. Il leur avait rendu service. Elles étaient impures. Des dépravées, des produits de ce monde dégénéré. Bien sûr, il les avait désirées, mais pas comme il désirait Blandine. Celle-là, il la voulait de tout son être. Il ne souhaitait pas la tuer. Pas pour le moment. Pas tout de suite. Il voulait la garder pour lui quelques jours. À l'abri des autres et de la corruption de cet univers insalubre et débauché. Elle lui ressemblait tellement... à « Elle » !

« Elle » : celle qu'il avait aimée, plus que tout.

Installé à quelques pas de la blanchisserie, il regarda les parents de Blandine s'éloigner.

Ce soir, elle serait seule au logis.

L'homme pressa ses mains l'une contre l'autre, arrachant un gémissement au cuir de ses gants.

Ce soir, elle serait sienne.

Blandine débarrassa la table. Elle avait dîné seule. Ses parents étaient sortis. Ils se trouvaient à une projection du cinématographe, sous un chapiteau dressé pour l'occasion. Du moins, sa mère y avait-elle traîné son père, bon gré mal gré.

Blandine étouffa un bâillement et monta l'escalier qui menait à sa chambre. Elle se déshabilla tout en réfléchissant aux événements de la journée. La jolie blonde ne savait pas quoi penser de ce Marcelin. Sa sombre réputation ne lui allait pas. Il était si beau ! Elle devait se l'avouer, le jeune homme la troublait. Peut-être était-ce cela, l'amour ?

Elle se regarda dans le miroir de sa coiffeuse et s'aperçut qu'elle rougissait. Gênée, elle se détourna de son reflet et se glissa sous les draps glacés de son lit, en frissonnant. Après les avoir remontés jusqu'au menton, elle souffla la chandelle. La pièce fut aussitôt plongée dans le noir. La dernière pensée de Blandine, avant que la fatigue la terrassât, fut pour Pierrot. Sa réaction avait été si bizarre ce matin, quand il les avait vus ensemble, Paul et elle. Cela l'inquiétait. Pour tout dire, elle considérait un peu le gamin comme le petit frère qu'elle n'avait jamais eu.

Une minute après cette ultime réflexion, Blandine plongeait dans un profond sommeil.

L'homme contourna la blanchisserie pour accéder à la minuscule cour qui donnait sur l'arrière-boutique. Il y serait à l'abri des regards. Celui que les journaux avaient baptisé « l'Ogre » ôta son manteau. Il s'empara ensuite d'une grosse pierre et l'enveloppa de son vêtement. Après avoir brisé la vitre, sans trop de bruit, à l'aide de cette masse improvisée, il balaya de sa main gantée les tessons de verre restés accrochés au cadre. Passant son bras à l'intérieur, l'homme déverrouilla la porte. Tout cela n'avait duré qu'un instant.

Il pénétra dans une buanderie où de nombreux habits pendaient, étendus sur des fils à linge. À la faible lueur de la lune, la pièce paraissait hantée par une armée de fantômes. Se frayant un chemin parmi les « spectres », il accéda enfin à un petit escalier. Son pied fit grincer le bois de la première marche. Il se mordit la lèvre inférieure, furieux de sa propre maladresse. Heureusement, la fille devait s'être assoupie, car on n'entendait d'autre son que le tic-tac d'une horloge. Rassuré, l'Ogre grimpa à l'étage.

Blandine se réveilla en sursaut. Elle scruta l'obscurité, mais n'y décela rien d'alarmant. Le calme régnait.

Elle venait de faire un horrible cauchemar. Dans ses rêves, une créature immense la dominait de toute sa hauteur, prête à fondre sur elle. Le monstre possédait un corps de loup, recouvert de la toison bouclée d'un agneau. L'abominable hybride tenait dans ses griffes le cadavre décomposé d'une jeune femme, auquel il arrachait de temps à autre des lambeaux de chair pour s'en repaître. Pierrot et Paul étaient là eux aussi. Ils tentaient de s'interposer entre la bête et elle. Mais la créature balayait le gamin d'un coup de patte avant de broyer Marcelin dans sa gigantesque gueule.

Jamais Blandine n'avait fait un songe si terrible. Elle en tremblait encore. De violents frissons lui dévalaient l'échine. Toujours sous le choc, elle gratta une allumette pour rallumer la chandelle.

— Mais que... ?

Son visage se crispa d'effroi quand elle aperçut la silhouette penchée sur son lit. Elle voulut crier, mais l'inconnu lui plaqua une main sur la bouche. L'homme, grand et fort, portait un masque confectionné à la hâte, simple bout de tissu percé de trois trous, un pour la bouche et deux pour les yeux.

Il la maintenait fermement. Blandine se débattit, mais ne parvint pas à se libérer de son étreinte. Elle jetait des regards affolés autour d'elle. Remarquant le bougeoir posé sur la table de chevet, elle tenta de l'atteindre. Ses doigts palpèrent le vide, griffant le meuble. L'Ogre exultait, comme en transe. Enfin, après plusieurs tentatives, elle referma sa main sur le bougeoir. Dégageant son bras droit dans un formidable effort, la jeune femme frappa son agresseur à la tête.

Surpris, l'homme porta une main à son front et roula au sol. Blandine en profita pour jaillir des draps. La porte ne se trouvait qu'à un mètre d'elle. Elle était sauvée ! Mais alors qu'elle allait atteindre la poignée, elle sentit qu'on lui saisissait la cheville. Son agresseur la tira vers lui et elle perdit l'équilibre. Sa tête vint brutalement heurter le plancher.

Bien qu'étourdi, l'inconnu était toujours d'attaque. Il rampa jusqu'à Blandine, à demi consciente. Il la contempla fiévreusement : du sang s'écoulait de sa lèvre fendue.

— Petite futée, dit-il, amusé.

Il profita de la faiblesse de sa proie : une pluie de coups tomba sur la pauvre fille. Cette fois, Blandine perdit connaissance. L'Ogre éclata d'un rire diabolique.

La jeune femme était à lui.

# 14
## La confession du Chauffeur

Pierrot et le Chauffeur avaient fait halte chez Gudule où ils étaient attablés autour d'une miche de pain et d'une terrine de pâté. Un pichet d'eau d'aff accompagnait le festin. Il n'y avait pas que le Verveur qui savait user de ses charmes auprès de la patronne. Marcelin se débrouillait plutôt pas mal à ce jeu-là.

Le grand costaud avait causé son petit effet, quelques minutes plus tôt, en faisant son entrée, le môme sur les épaules. Sur le moment, les clients l'avaient dévisagé avec un mélange d'inquiétude et d'émoi. L'enfant avait un teint de craie. Était-il mort ? Blessé ? Rien de tout cela, les avait-il rassurés. Ce que confirmèrent les joues rosies de Pierrot quand il eut avalé un demi-verre d'alcool.

Ils dévorèrent leur pitance en silence. On n'entendait que le bruit de leurs mâchoires en train de mastiquer.

Quand plus une miette ne traîna sur la table et que le pot de pâté fut intégralement récuré, le Chauffeur prit la parole :

— Drôle de soirée, non ?

— Tu l'as dit, répliqua Pierrot qui avait retrouvé un teint acceptable.

— Ouais, ouais... confirma Marcelin pour lui-même, en manipulant son verre avec nervosité.

Ils s'observèrent en chiens de faïence. Mal à l'aise, Pierrot laissa son regard traîner sur la salle. Ça ne se bousculait pas. Pas de musique ou de danse ce soir. Installées à l'écart, deux filles de joie jouaient aux cartes avant d'aller au boulot. Non loin d'elles, un vieil homme crachait ses poumons. Ses yeux striés de rouge et ses mains tremblantes trahissaient la fatigue d'une longue vie de travail. Aucun riffard accoudé au zinc. Cachée derrière le comptoir, la bistrote mettait de l'ordre dans sa vaisselle. Son torchon essuyait à la va-vite des verres ébréchés qui allaient ensuite rejoindre les étagères miteuses. Comme d'habitude, Gudule n'aidait pas à la tâche. Assis à deux tables de celle de Pierrot, il discutait avec un client que le garçon ne connaissait pas, un gros type doté d'une impressionnante moustache noire.

— Gudule semble un peu moins ivre que d'ordinaire, fit remarquer le petit brun en tentant maladroitement de relancer le dialogue.

À cet instant, le tenancier faillit glisser de son siège.

— Enfin, pas beaucoup moins, rectifia Pierrot.

— Ouais, opina le Chauffeur décidément peu loquace.

Il observait le duo d'un air songeur. Son regard brillait d'une lueur étrange ; Pierrot le trouva même inquiétant. Le gamin ne pouvait pas soupçonner que des rouages venaient de se mettre en route dans le cerveau du costaud, le conduisant peu à peu vers l'ébauche d'une possible vérité.

— C'est qui «la moustache»? demanda l'adolescent.

— Rombaldi, grommela Marcelin, le gérant des abattoirs.

Tout comme Gudule, le dénommé Rombaldi paraissait saoul comme un cochon ! Avec ses imposantes bacchantes et ses sourcils épais, l'homme avait une sale tête. D'énormes poches soulignaient ses yeux.

— Il n'a pas un visage très sympathique...

— C'est le moins qu'on puisse dire, approuva le Chauffeur. Je me demande si...

— Quoi?

— Rien. Rien du tout.

Changeant brusquement de braquet, il interrogea le gamin de but en blanc :

— Ils te voulaient quoi, les deux marioles?

Pierrot hésita avant de répondre. Pouvait-il vraiment faire confiance à Marcelin? Après tout, ce gars-là discutait avec l'édenté, pas plus tard que l'autre soir. Et il ne fallait pas oublier les deux filles. C'était encore lui qui les avait fait valser juste avant qu'elles ne disparussent. Le garçon décida de rester prudent :

— Oh, pas grand-chose, un malentendu, éluda-t-il.

— Ah, un malentendu, acquiesça le Chauffeur d'une manière qui montrait bien qu'il n'était pas dupe.

Il réfléchit un instant, semblant peser chacun des mots qu'il s'apprêtait à prononcer. Puis il ajouta d'un ton grave :

— Faut s'méfier de ce genre de malentendu, bonhomme, ça n'apporte que des ennuis.

Pierrot, curieux de voir où l'autre voulait en venir, ne répliqua pas.

— Tu sais pourquoi on m'appelle le Chauffeur ? continua Marcelin.

— Je pense que oui, répondit Pierrot tandis qu'une image de pieds grillés au feu de cheminée lui traversait l'esprit.

— Crois-moi ou pas, mais c'est pas facile à porter. Ça me renvoie sans cesse aux trucs moches que j'ai pu faire.

Pierrot eut une illumination :

— C'est pour ça qu'tu m'as empêché de voler la montre, l'autre soir ?

— Ouais, je suppose. J'ai juste pensé que t'allais faire une sacrée bêtise. Surtout avec cette cogne pas loin.

Le gosse tiqua :

— Feuillade ?

— Ce poulaga ne me lâche pas. J'ai beau m'être rangé, ça lui suffit pas. Il me traque. Mais il est pas si malin qu'ça, rigola-t-il.

Il avait semé le policier. Feuillade s'était fait blouser en beauté.

— Alors tu grinches plus ? c'est fini ? demanda Pierrot, pas tout à fait convaincu.

— Fini ! Tu t'souviens de l'affaire de l'épicerie, l'année dernière ?

— Rue Pierre-Leroux ? Quand trois lascars ont braqué la caisse ?

— J'aurais dû en être. Mais j'avais la fièvre ce jour-là et je suis resté dans mon lit au lieu de les suivre. Tu sais comment ça s'est terminé ?

Le gamin saisit le couteau qui traînait à côté de la terrine vide et fit mine de poignarder quelqu'un :

— Ils ont suriné la mère Joly. C'était elle, la patronne.

— Ouais, la pauvre femme est restée sur le carreau, une lardoire plantée dans les omoplates. Et les trois poteaux sont allés poser leur cou sur l'Abbaye de Monte-à-Regret [6].

— La guillotine ?

— Tchac ! (Le Chauffeur abattit son poing sur la table.) En un éclair. Tu peux me croire, ça fait réfléchir. J'veux plus tremper dans ce genre de choses. Non, c'est bien fini.

Le repentir de Marcelin semblait sincère : pourtant, un doute taraudait encore Picrrot.

— Mais les filles ? laissa-t-il échapper presque malgré lui.

— Les filles ? s'étonna le Chauffeur.

---

6. Cette histoire est véridique. Il s'agit d'un fait divers survenu en 1899.

Le grand costaud comprit l'idée que le gosse avait en tête en contemplant sa mine déconfite. Pour une claque, c'était une fichue claque ! Ce gamin pensait qu'il avait fait leur affaire à Victorine et à Huguette !

— Tu crois que c'est moi ? lança-t-il, un brin énervé. Il faut que tu bosses pour Feuillade si c'est le cas. J'ai rien à voir avec tout ça.

Pierrot tremblait comme une feuille.

— Tu les connaissais, pourtant, avança-t-il prudemment.

— Et ça fait de moi un coupable ? contesta Marcelin.

Pierrot ne dit mot. Il fallait bien avouer qu'il était allé un peu vite en besogne dans son jeu de déduction.

Tout comme l'inspecteur.

— C'était de bonnes copines, reprit le Chauffeur en se radoucissant. Ça me rend malade. Moi aussi, j'aimerais bien choper ce salopard.

Ce disant, il jeta un regard en coin à la table derrière lui. Le patron du troquet s'y trouvait toujours, en pleine conversation avec le gérant des abattoirs.

— Et Blandine ? demanda le gamin.

— Quoi, Blandine ?

— Elle aussi, c'est juste une copine ? insista-t-il.

— Non, elle, c'est différent, j'l'ai dans la peau, déclara Marcelin. Pour de vrai, je t'assure.

Pierrot éprouva un douloureux pincement au cœur. Mais plus ténu, lui sembla-t-il. Le Chauffeur n'était pas un mauvais bougre, en fin de compte. Il préférait voir sa bien-aimée dans ses bras que dans ceux d'un autre voyou. Au moins, il savait ce que celui-ci valait. Et s'il n'était pas coupable, Blandine n'était plus en danger.

— Il se fait tard, il faut que j'y aille, dit-il en se levant. Merci pour le repas et puis aussi pour... enfin, tu sais.

— Pas de quoi, dit simplement le Chauffeur. Sois prudent.

Il allait laisser le môme filer quand il se ravisa :

— Je travaille passage Josset. Une scierie à vapeur. Le patron cherche souvent des apprentis, des gars courageux qui n'ont pas peur de mettre du cœur à l'ouvrage. Viens faire un tour demain, proposa-t-il, ça t'engage à rien.

Surpris, Pierrot hocha la tête en signe d'approbation :

— J'vais y réfléchir.

Sur ces mots, le gamin franchit le seuil. Il ne savait pas trop comment réagir à cette offre. L'idée d'intégrer une société qui l'avait toujours rejeté lui paraissait étrange, voire saugrenue. Depuis la mort de ses parents, il avait vécu en marginal, effaçant de son esprit la possibilité de mener une existence ordinaire. Le monde n'était pas tendre pour les orphelins.

« C'est vraiment un gentil mouflet », pensa Marcelin en le regardant disparaître. Pierrot parti, il concentra toute son attention sur Gudule et Rombaldi. Ces deux-là avaient beaucoup à lui apprendre. Sortant une bague de sa poche, il la contempla à la lumière vacillante.

# 15
## Descente de police

LE PASSAGE JOSSET était un étroit corridor dans lequel plusieurs industries du bois se succédaient. Il se terminait sur la manufacture Maubert, qui s'élevait sur un étage. Une haute cheminée de briques indiquait fièrement son statut de scierie à vapeur. Un impressionnant stock de bois cachait presque l'entrée de l'édifice. Pierrot, en arrivant devant la bâtisse, aperçut Marcelin. Transpirant sous l'effort, le grand costaud était occupé à charger une partie de la réserve sur un chariot. Remarquant le gamin, il le héla :

— Hé, le môme ! T'es venu finalement !

Pierrot s'approcha timidement. Quand il fut à portée, le Chauffeur l'attrapa par l'épaule et lui ébouriffa les cheveux avec une affection bourrue. Rattrapant sa casquette au vol, le gosse ne put s'empêcher d'afficher un large sourire. Ce n'était pas tous les jours qu'on lui offrait une telle marque d'amitié.

— Allez, viens, j'te fais faire le tour....

L'atelier occupait tout le rez-de-chaussée. À l'étage, on trouvait les bureaux, mais aussi une passerelle permettant d'accéder au sommet de la gigantesque chaudière. Les murs presque aveugles n'étaient percés que d'étroites ouvertures. Seule la verrière du plafond laissait passer la lumière.

L'adolescent était impressionné. Fasciné même.

— On peut en voir une de près? demanda-t-il en désignant une des scies mécaniques.

Dix châssis se partageaient l'essentiel de l'atelier. Les puissantes mécaniques étaient à la tâche : elles transformaient d'énormes blocs de bois en planches régulières et d'égale épaisseur. De la pure magie !

— Bien sûr, répondit le Chauffeur.

C'est alors qu'un avertissement résonna dans le vaste hangar :

— 22 ! v'là les cognes !

L'inspecteur Feuillade s'avançait seul dans la rue. Très calme, il contempla le bâtiment, examinant chaque détail. Un sourire de satisfaction illumina son visage. Il claqua ensuite des doigts et plusieurs dizaines d'agents de ville débarquèrent, juchés sur des bicyclettes. Ils portaient tous l'uniforme réglementaire : képi, bottes, matraque, et surtout la vareuse noire à boutons blancs.

La brigade cycliste bloqua l'accès au passage Josset. De part et d'autre de la rue, des poulagas faisaient barrage. Toutes les issues semblaient condamnées. Marcelin était fait comme un rat ! L'inspecteur indiqua l'édifice d'un geste de la main. Les policiers fondirent sur la scierie comme un essaim d'abeilles dont on aurait secoué la ruche.

— Merde ! C'est pour moi ! s'écria le Chauffeur.

Pierrot regarda avec effroi la flicaille prendre d'assaut le bâtiment. Plusieurs d'entre eux brandissaient leur bâton blanc, d'autres avaient déjà dégainé leur revolver.

— File ! conseilla-t-il à Marcelin. Vite !

— Par là ! indiqua un ouvrier en désignant le plafond.

Après un instant d'hésitation, le Chauffeur s'élança dans les escaliers qui menaient à la passerelle. Il courut ensuite vers la chaudière et entreprit d'en escalader la cheminée. Une pluie de verre tomba sur les spectateurs. L'homme venait de briser plusieurs carreaux de la verrière pour se frayer un chemin jusqu'aux toits. Il grimaça, sa figure et ses avant-bras lacérés par des éclats tranchants. Surmontant la douleur, il se hissa jusqu'au faîte de l'édifice.

— Tirez, mais tirez donc ! ordonna l'inspecteur Feuillade, furieux de voir sa proie lui échapper.

Les policiers, stupéfaits par l'audace de Marcelin, tardaient à réagir. Après avoir débouché au sommet de la bâtisse, le jeune homme bondissait à présent de toit en toit avec une aisance surprenante. Dehors, les ouvriers s'étaient massés pour admirer les exploits du voltigeur.

Un des gardiens de la paix finit par sortir de sa léthargie. Il visa le Chauffeur et pressa sur la détente.

— Non ! hurla Pierrot.

Raté ! Le projectile ricocha sur la couverture en frôlant le costaud. Celui-ci vacilla. Son pied glissa et fit dégringoler quelques tuiles. Elles s'écrasèrent au sol dans un fracas épouvantable, pulvérisant l'une des bicyclettes. Un autre agent fit feu. C'était sa bicyclette qui venait d'être pulvérisée. Les balles sifflaient aux oreilles du fugitif. Feuillade se moquait bien de capturer le jeune homme vivant ! Ce que l'inspecteur voulait, c'était un coupable. Mort ou pas, peu lui importait.

Des bruits de course alertèrent Marcelin, qui se retourna vivement. Deux gardiens de la paix ! Empruntant l'ouverture qu'il avait pratiquée dans la verrière, les cognes s'étaient lancées à ses trousses et passaient alertement d'une toiture à l'autre.

« C'est foutu, ils vont me choper ! »

Sans cesser de courir, il s'empara d'une tuile et la jeta en direction de ses poursuivants. Elle atteignit le premier en pleine face, l'arrêtant net. Le deuxième agent doubla son acolyte, bien décidé à en finir.

Le Chauffeur arrivait au bord d'un précipice.

« Le voyage est terminé », songea-t-il, dépité. La maison suivante se trouvait à plus de dix mètres, de l'autre côté de la rue. Il avait parcouru de toit en toit tout le passage Josset. Et sans même s'en rendre compte ! Le seul policier encore debout fonçait sur lui sans mesurer le danger. Évitant la charge, le Chauffeur se baissa au dernier moment. Le malheureux bascula par-dessus ses épaules et plongea dans le vide. Son visage reflétait la plus grande surprise. Réagissant sur-le-champ, Marcelin l'agrippa de justesse par le poignet. Puisant dans ses dernières ressources, il tira l'homme jusqu'à lui. Le miraculé tremblait de tous ses membres. Il balbutia un « merci » presque inaudible.

— Tu es fait ! lâcha une voix derrière eux.

Marcelin sentit le métal froid d'un canon dans son cou. L'autre gardien de la paix le tenait en joue. De sa main libre, il se cachait l'œil droit, sans vraiment réussir à dissimuler la cocarde violacée qui s'étalait jusqu'à ses pommettes.

Feuillade exultait, content de sa prise comme un pêcheur satisfait d'avoir attrapé une grosse truite. On lui amena le Chauffeur, les bras ligotés derrière le dos, les poignets pris dans un lacet.

— Alors, Marcelin, le nargua l'inspecteur, ne t'avais-je pas prévenu ?

Le costaud ne pipa mot, mais son regard trahissait sa colère. Il cracha au pied du policier, n'obtenant en retour qu'un sourire amusé.

— Emmenez-le ! ordonna sèchement Feuillade.

À cet instant, Pierrot surgit de la foule des badauds et l'interpella :

— Laissez-le, il n'a rien fait !

L'homme et l'enfant s'observèrent un instant en silence, chacun jaugeant l'autre. Puis, le fonctionnaire prit la parole :

— Vraiment ? dit-il en sortant un journal de la poche de sa veste.

Il présenta la une du quotidien au jeune garçon, pointant du doigt un article qui s'alignait sur cinq colonnes.

— J'sais pas lire, pesta Pierrot.

— Mais tu as des yeux pour voir, insista Feuillade en désignant la photographie qui accompagnait le texte.

Les traits de l'enfant se figèrent en reconnaissant Blandine. Elle posait en compagnie de ses parents devant la blanchisserie familiale.

— Que lui est-il arrivé ? s'alarma le gamin.

— Disparue ! Pfuiiit ! annonça le policier. Hier soir. Une nouvelle victime de l'Ogre. Je doute que tu puisses encore croire à l'innocence de ton ami après cela.

Pierrot resta interdit face à de telles affirmations. Le Chauffeur ne pouvait pas avoir enlevé Blandine. C'était impossible ! La veille au soir, il était occupé à casser la figure de Bouffe-Cailloux. Comment aurait-il pu se trouver en même temps à Ménilmuche et à la Bastille ? Inutile d'essayer de convaincre cette cogne. Il se mit à courir vers Marcelin, que les agents de ville emmenaient vers un fourgon de police.

— Il n'en vaut pas la peine ! cria Feuillade derrière lui. D'ailleurs, n'a-t-il pas cherché à s'enfuir ? Si ce n'est pas une preuve de culpabilité, je ne m'y connais pas !

Pierrot ne l'écoutait plus. Il s'arrêta devant le prisonnier. De grosses larmes coulaient sur ses joues.

— Blandine, bredouilla-t-il.

Comprenant immédiatement la signification de ses pleurs, le Chauffeur bouscula ses gardiens et attrapa Pierrot par la nuque. Les policiers l'empoignèrent, mais il eut toutefois le temps de chuchoter quelques mots à l'oreille du gosse :

— Chez Gudule, lui dit-il dans un souffle, va chez Gudule. Dans la cave.

En quelques minutes, les forces de l'ordre avaient déserté les lieux. Le fourgon suivit, mené par un cocher auprès duquel Feuillade avait pris place. Pierrot regarda l'attelage s'éloigner. Ses roues soulevaient un épais nuage de poussière. La voiture tourna bientôt au coin de la rue, disparaissant du champ de vision du garçon.

— Dans la cave... dans la cave... se répéta-t-il à voix basse, comme une incantation.

Il ne pouvait plus reculer. La vie de Blandine et la liberté du Chauffeur en dépendaient.

# 16
## Captive de l'Ogre

L'OBSCURITÉ. C'est la première chose que perçut Blandine en revenant à elle. Elle cligna des yeux, avec peine. Ses paupières étaient lourdes et tuméfiées. Elle émit un gémissement qui parvint étouffé à ses oreilles. Elle réalisa alors qu'un bâillon lui obstruait la bouche. Elle voulut l'ôter, mais ne réussit pas à bouger d'un pouce. Ses mains et ses pieds étaient entravés par de grosses cordes.

Blandine était frigorifiée. Elle ne portait qu'une chemise de nuit et ses jambes nues reposaient sur le sol de terre battue. Le froid la pénétrait comme une lame.

Peu à peu, la jeune femme s'habitua à la pénombre. Une faible clarté filtrait par la grille du soupirail. Outre les innombrables toiles d'araignées, plusieurs bouteilles vides traînaient comme des épaves échouées sur une plage. Infirme d'un pied, une chaise à moitié dépaillée finissait sa vie dans un coin, posée contre un tas de charbon. Rongé par l'humidité, le siège pourrissait lentement. Blandine frémit. Était-ce le sort qui l'attendait ?

« Pas question », se révolta-t-elle en son for intérieur.

La jeune fille se laissa tomber sur le côté et ondula comme un reptile, pour tenter de rejoindre l'escalier qui occupait un des angles de la pièce. C'était la seule issue ! Cet effort l'épuisait, mais elle gagnait du terrain, centimètre après centimètre. Son bâillon était trempé de salive et de sang. Elle toussa pour rejeter les mucosités qui encombraient sa gorge et l'étouffaient.

« Pas question de laisser tomber, pas question », se tança-t-elle pour se donner du courage.

Sa progression était lente et difficile. La terre griffait son corps à demi dénudé, des larmes de douleur coulaient sur ses joues.

Encore quelques mètres et elle aurait atteint son but.

Quand son menton toucha la première marche, elle poussa un soupir de soulagement. Des sanglots la secouèrent, impossibles à refréner. Elle avait gagné la première manche.

Blandine leva les yeux vers la cime de l'escalier.

« C'est bien trop haut, jamais je ne pourrai... à moins que... »

Elle venait d'avoir une idée.

L'Ogre ouvrit la trappe qui menait à la cave et s'apprêta à descendre, une chandelle à la main. Il n'alla pas plus loin. Le spectacle qu'il découvrit le stupéfia et l'amusa tout à la fois.

Comme c'était touchant ! Sa prisonnière qui tentait de s'échapper ! Il s'esclaffa. Au moins, il fallait lui reconnaître une certaine dose d'ingéniosité. Blandine s'était retournée sur le dos afin d'escalader l'escalier en s'aidant de ses coudes et de ses fesses. En fait, elle s'asseyait sur chacune des marches qu'elle gravissait. La jeune femme était presque arrivée au terme de son ascension. Belle tentative !

Blandine fut alertée par le bruit de la trappe qui se soulevait. L'Ogre la contemplait, son visage toujours masqué. Sa cagoule comptait à présent une échancrure supplémentaire, là où elle l'avait frappé avec le chandelier. Effrayée, la captive recula et perdit l'équilibre, chutant au bas des marches. Sa tête heurta violemment le sol et elle perdit à nouveau connaissance.

L'Ogre dévala l'escalier. Il souleva le menton de la jeune fille afin de s'assurer qu'elle était toujours en vie. Un faible chuintement s'échappait de ses lèvres. Il la retourna. La poitrine s'élevait et s'abaissait régulièrement. Rassuré, il chargea sa victime sur ses épaules et alla l'installer contre le tas de charbon. Il remonta ensuite à l'étage pour revenir presque aussitôt, avec une chaîne et des fers. Saisissant les chevilles de Blandine, il lui passa les fers avant d'attacher la chaîne à un anneau fixé au mur.

« Pas question de recommencer ce petit jeu. »

Il s'assura de la solidité de l'ensemble et quitta la cave, fermant à clé le cadenas qui en bloquait l'accès. À l'étage supérieur, un tout autre monde l'attendait. La trappe donnait sur une vaste cuisine où s'affairaient Bouffe-Cailloux et sa bande. Les visages des quatre voyous étaient couverts d'hématomes ; Taureau arborait un bandage qui cachait son nez cassé. Protégés par de grands tabliers, ils maniaient habilement hachoirs et couteaux pour découper d'énormes quartiers de viande. Chaque escalope, faux-filet ou tournedos finissait dans un sac qu'ils refermaient soigneusement une fois plein.

Unique objet décorant les murs, un imposant crucifix dominait la pièce.

— Bouffe-Cailloux ! appela l'Ogre.

L'édenté lâcha son couteau.

— Oui, monsieur ? interrogea-t-il avec servilité.

— As-tu réglé le problème concernant le gosse ? demanda l'Ogre en le fixant d'un regard pénétrant.

— Pas encore, monsieur, je suis désolé, monsieur.

L'adolescent semblait penaud.

— Et pourquoi ? demanda l'assassin. Nous sommes débarrassés du Chauffeur, la police le croit coupable. L'unique danger vient maintenant de ce gamin. Dieu seul sait ce que Marcelin a bien pu lui raconter. Il doit disparaître de la circulation !

— C'est que, s'expliqua Bouffe-Cailloux, je ne sais pas trop où il crèche, monsieur. Ce n'est pas évident de mettre la main dessus. La ville est grande.

L'homme réfléchit un instant.

— Si ce n'est que cela, j'ai une solution toute trouvée.

Et un sourire malsain se dessina sur les lèvres de l'Ogre.

# 17
## Dans la cave

GUDULE ! Ainsi, le Verveur avait vu juste : le patron du café-charbon et l'Ogre de la Couronne ne faisaient qu'un ! Et Pierrot qui ne voyait en lui qu'un ivrogne inoffensif ! Il s'était bien trompé. Le bistrotier était un dangereux criminel... Mais ce soir, Pierrot allait le démasquer. Et Blandine serait sauvée !

L'adolescent avait préparé sa petite expédition avec soin. Goupil et le Verveur lui serviraient de partenaires. Le blondinet connaissait les lieux pour avoir déjà aidé la patronne du troquet à descendre des marchandises à la cave.

À la nuit tombée, les trois garçons attendirent, bien planqués, que le café soit plongé dans le noir. Quand Pierrot estima que le moment était venu, ils sortirent de leur cachette et se faufilèrent en silence jusqu'à l'entrée du bistrot.

Le Verveur était un as de la petite cambriole. Il avait déjà forcé quelques serrures. Une mesure radicale, mais indispensable pour se procurer de quoi manger quand son estomac criait famine. Les gens ne se montraient pas tous aussi généreux que la bistrote. Et le bonnetau ne rapportait malheureusement pas autant qu'il pouvait l'espérer.

Le blondinet sortit une aiguille de tapissier de la poche de son pantalon. Elle était longue et courbe. Il la glissa dans la serrure et la fit pivoter, cherchant le bon angle. Il y eut un « clac » sonore et, en moins de temps qu'il n'en faut pour le dire, le tour fut joué. La porte s'ouvrit comme par enchantement. Les enfants se précipitèrent à l'intérieur du café, refermant avec précaution derrière eux.

La salle principale était plongée dans l'obscurité. On n'y voyait goutte. Sans les habitués accoudés au comptoir et les flonflons d'un accordéon pour l'égayer, la pièce semblait lugubre. Pierrot attrapa un des bougeoirs qui traînaient sur le zinc. Il en rallumerait la chandelle plus tard.

— C'est par où ? chuchota-t-il.

— Là, répondit le Verveur sur le même ton. Tu vois la porte derrière le comptoir ?

Pierrot plissa les yeux.

— Elle mène à la cuisine. De là-bas, on peut accéder à la cave par une trappe.

— À la cave ? glapit Goupil.

Terrifié, il perdit presque l'équilibre et manqua d'atterrir à plat ventre au pied de ses deux aminches.

— Vous êtes sûrs que c'est une bonne idée ? pleurnicha le rouquin.

— T'inquiètes, plaisanta le Verveur, l'Ogre ne bouffe pas les petits cochons grassouillets comme toi ! C'est le grand méchant loup qui s'en charge...

Goupil poussa un cri aigu qui arracha un sourire crispé à Pierrot. En réalité, il n'avait pas le cœur à la fête. Blandine lui apparaissait sans cesse dans des visions sinistres. Les lèvres blanches, les paupières closes : son doux visage était recouvert d'un linceul. Le petit brun chassa ces mauvaises pensées. Blandine était en vie. Ils étaient là pour la secourir.

Une fois dans la cuisine, Pierrot gratta une allumette et enflamma la mèche de la bougie. Au sol, on devinait la trappe qui dessinait un carré sur le plancher de bois. Coup de chance, le cadenas n'était pas enclenché. Sans doute Gudule était-il trop ivre, ce soir, pour le refermer. Pierrot passa le premier. La trappe donnait sur un escalier assez raide aux marches usées, qui gémirent sous les pieds des garçons. Près du soupirail, un gros tas de charbon attendait d'aller alimenter la chaudière. Et dans le noir, quelque chose bougeait. Quelque chose... ou quelqu'un.

# 18
## Une curieuse découverte

Blandine émergea de l'inconscience comme on remonte à la surface après avoir failli se noyer. Elle se sentait faible. Ses yeux étaient à présent si gonflés qu'elle pouvait à peine les entrouvrir. La jeune fille voulut bouger les jambes, mais le métal lui mordit les chevilles comme un impitoyable chien de garde. On l'avait enchaînée.

« Je suis fichue, pensa-t-elle, se laissant aller au désespoir, l'Ogre, celui des journaux, c'est lui qui m'a capturée. Il va me tuer. »

C'est alors que Blandine perçut une présence. Tout près, tapie dans l'ombre. Elle tenta de son mieux de soulever ses paupières. Celles-ci étaient plus pesantes que du plomb. Elle distingua une silhouette aux contours flous. Un gamin. *Pierrot?* Elle aurait aimé appeler, mais le bâillon l'en empêchait. *Pierrot?*

Pierrot s'approcha. Il voulait en avoir le cœur net.

— Blandine?

Il n'obtint en retour que l'écho de sa voix. Anxieux, l'adolescent tendit la main vers la forme qui s'agitait au ras du sol. Ses doigts se refermèrent sur une longue queue sans poils. Il laissa échapper un cri de surprise et relâcha sa prise. Le rat, furieux, poussa un râle plaintif et fila ventre à terre se cacher dans un trou du mur.

Dépité, Pierrot donna un coup de pied dans le vide. Pas de Blandine. Le moral à zéro, il se laissa tomber sur le tas de charbon. Ses compagnons partageaient sa déception. C'est le Verveur qui parla le premier :

— Qu'est-ce que c'est que ça ? demanda-t-il en désignant un bout de tissu qui dépassait du stock de combustible.

Le chanvre était tout grignoté. Certainement l'œuvre du rat et de ses congénères.

Pierrot exhuma un sac dissimulé sous le charbon. Plusieurs autres suivirent, six au total.

— De la viande! s'écria Goupil, très intéressé.

Ils se penchèrent tous trois sur leur découverte, humant les odeurs qui s'en dégageaient.

— Oh! ça pue! lâcha Pierrot en se pinçant le nez.

— C'est d'la bidoche « retapée », grogna le Verveur. Elle paraît fraîche, mais elle l'est pas.

— Comment ça ? demanda Goupil.

Le rouquin avait du mal à comprendre. Il sortit un morceau du sac pour l'examiner sous toutes les coutures. Agacé, le Verveur lui prit le steak des mains afin d'illustrer son explication :

— Regarde, nigaud ! La viande a été « travaillée »
de façon à lui donner une mine acceptable. Mais elle
est dégueulasse. Comme la loi interdit qu'on tue les
animaux dans Paris sans passer par les abattoirs, de
petits malins amènent les bêtes malades à l'extérieur
des fortifs. En dehors de la capitale, c'est une autre
histoire, n'importe qui peut abattre son bétail sans
avoir de comptes à rendre. Une fois les bestiaux morts,
on les fait discrètement revenir en ville sous la forme
de gros quartiers de viande. En graissant la patte des
types de l'Octroi[7], ce n'est pas bien difficile. On débite
ensuite la bidoche en petits morceaux et on la vend.
Elle est tellement bon marché que les pauvres se jettent
dessus. Sauf qu'elle est mauvaise, et dangereuse.

— Et c'est courant, ce genre de choses ? demanda
Pierrot, intrigué.

— Un boucher de Clichy s'est déjà fait choper.
Plutôt ambitieux, le gusse ! Il s'était mis en cheville avec
le patron des abattoirs. Le directeur de l'époque vendait
la viande avariée à des bistrots ou des restaurants de
mèche avec lui. Et c'est le client qui se faisait avoir.

Pierrot était soufflé. Décidément, le Verveur se
montrait digne de sa réputation : une véritable antho-
logie des crimes et délits à lui tout seul.

— Et que s'est-il passé ensuite ? l'interrogea-t-il
encore.

---

7. L'Octroi était une administration chargée de surveiller l'entrée des
denrées dans Paris et de percevoir des impôts sur celles-ci.

— Ben, il me semble que le boucher et le type des abattoirs ont fini au bagne. C'est comme ça que Rombaldi a eu sa place à la Villette.

Rombaldi ! Mais bien sûr. Pierrot se rappelait maintenant l'avoir vu discuter avec Gudule la veille au soir. L'histoire se répétait, sans doute ! Le patron des abattoirs était corrompu et trafiquait avec les cafés pour diffuser sa viande douteuse. Restait à savoir qui était son fournisseur.

— Pas étonnant que tu ne trouves plus de bidoche dans les poubelles, Goupil, se moqua le Verveur. On voit bien où elle est passée.

Pierrot ne rit pas. Quelque chose le préoccupait. Si Gudule n'avait pas enlevé Blandine, pourquoi Marcelin lui avait-il soufflé de visiter cette cave ? À moins que...

À moins que le patron des abattoirs ne fût le coupable ? Ou encore que l'Ogre ne fît qu'un avec le mystérieux fournisseur ? Il était perdu. Qu'avait découvert le Chauffeur ? Peut-être rien de plus... Pierrot devait se rendre à l'évidence. Il ne lui restait plus qu'une chose à faire : suivre la piste Rombaldi !

Leur petite virée nocturne tirait à sa fin. La bande de garçons décida de rebrousser chemin. Bientôt, ils furent dehors, respirant l'air frais de la rue.

La silhouette sortit de la pénombre et s'approcha de Blandine. Malgré la douleur, la jeune femme fit un effort pour ouvrir grands les yeux. Elle se raidit, terrifiée par le visage penché au-dessus d'elle. Ce faciès effrayant n'appartenait pas à Pierrot. L'adolescent avait un regard plein de haine. Dévoilant ses gencives édentées, il lui souriait avec cruauté.

## 19
## Le piège

PIERROT attendit Rombaldi une bonne partie de la matinée. Posté en face des abattoirs, le garçon observait le va-et-vient incessant des éleveurs et des clients. L'édifice était imposant. De hautes grilles en fer forgé ouvraient sur une vaste cour où trônait une horloge. Occupant tout un pâté de maisons, une dizaine de hangars et de bâtisses encadraient cette dernière. Les bêtes arrivaient sur pied pour repartir débitées en quartiers. Des fiacres et des chariots circulaient d'un lieu à l'autre, récupérant la marchandise que des ouvriers, vêtus de tabliers tachés, déposaient à l'arrière des voitures. Le jeune garçon suivait cette valse incessante d'un œil ennuyé. Le large plateau installé près de l'entrée — la bascule — estimait le poids de chaque animal à son arrivée. On déterminait ensuite un prix, puis le « condamné » était mené à l'abattage. Après avoir encaissé son dû, le propriétaire pouvait s'en aller, les poches pleines. C'était alors au tour des acheteurs de passer à la pesée avec leur véhicule. On déduisait bien sûr le poids de la voiture pour ne garder que celui de la bidoche.

Le petit brun espérait que le directeur des abattoirs ne tarderait plus. Il l'avait vu entrer très tôt ce matin-là dans les bureaux et comptait bien le suivre sitôt qu'il repartirait. Rombaldi le conduirait-il jusqu'à Blandine ? Il le souhaitait de tout son cœur. La jeune fille lui manquait. Il craignait de ne jamais la revoir.

Pierrot essuya la larme qui s'écoulait du coin de son œil. Il se sentit bêta. Pleurer comme un mioche ! À plus de quatorze ans, il ne voulait pas passer pour une mauviette. Là où il vivait, les faibles ne faisaient pas long feu. Mais il ne voulait pas la perdre. Blandine était la seule à l'avoir jamais traité avec gentillesse, presque avec amour. Un peu comme une mère... ou une sœur. Il ne s'étonna presque pas de la considérer de la sorte. C'est ce qu'elle était pour lui : un semblant de famille.

Une seule chose le chiffonnait. Si Rombaldi était bien l'assassin, comment avait-il pu enlever Blandine et, au même moment, tenir compagnie à Gudule ? Le gaillard était fin saoul l'autre soir, loin d'être assez frais pour venir à bout d'une jeune femme aussi énergique que la jolie blonde. Un détail qui le turlupinait.

Sa patience fut récompensée. Le gros bonhomme se montra enfin. Il ne quitta pourtant pas les abattoirs et resta dans la cour. Tournant en rond comme un lion en cage, il paraissait attendre quelqu'un.

Celui qui se présenta aux grilles portait un chapeau melon. Son nez crochu dépassait de son profil émacié comme la péninsule d'un continent. Rombaldi lui donna l'accolade, un large sourire aux lèvres. Ces deux-là semblaient bien se connaître, et même s'apprécier. Après avoir échangé quelques tapes dans le dos, ils disparurent à l'intérieur. Le garçon ôta sa casquette pour se gratter la tête. Feuillade ? Ici ? Drôle de coïncidence. Soupçonnait-il Rombaldi ? Non, impossible, le poulaga était bien trop buté. À ses yeux, le Chauffeur faisait un meurtrier idéal.

À moins que le flicard ne fût la clé de l'énigme ? Après tout, sa position lui ouvrait de nombreuses portes : qui, à part Feuillade, avait le pouvoir de contourner aussi facilement l'Octroi pour faire entrer la viande avariée dans la ville sans éveiller les soupçons ? L'écoulement de la marchandise était assuré : Rombaldi et Feuillade s'entendaient comme larrons en foire. Qui à part lui aurait pu diriger l'enquête vers Marcelin ? Personne, à la préfecture de police, ne mettrait en doute les déductions d'un inspecteur de la Sûreté. Une couverture idéale, en somme.

Le lien entre les deux affaires restait à établir, mais Pierrot commençait à se dire qu'il avait peut-être vu juste. Le Chauffeur avait certainement découvert le pot aux roses. C'était pour cela qu'il avait indiqué à Pierrot la cave de Gudule. Il cherchait à le mettre sur la piste de l'Ogre. Sur la piste de Feuillade ! Un nouvel espoir s'empara de lui. Sans doute pouvait-on encore sauver Blandine.

Mais que faire ? Aller à la police ? Impossible, la police, c'était Feuillade. Après avoir retourné le problème dans tous les sens, il décida d'en parler à ses amis. Peut-être trouveraient-ils une solution ?

Il chercha d'abord le Verveur, sans succès. Le blondinet ne criait pas ses journaux à la Bastoche. Sans doute était-il en train de jouer au bonneteau, quelque part entre Charonne et Ménilmontant. Tant pis, il se contenterait de Goupil. Midi n'avait pas encore sonné, et celui-ci devait piquer un roupillon dans leur cabane.

Il traversa la Zone à la hâte. Quand il arriva à sa bicoque, Pierrot trouva la porte grande ouverte. Comme il s'y attendait, le rouquin dormait toujours, à plat ventre, sur une paillasse voisine de la sienne.

— Goupil ? dit doucement l'adolescent.

Pas de réponse. *Ah ! quand il pionçait, celui-là !*

— Goupil ! répéta-t-il un peu plus fort.

Toujours rien. Pierrot s'agenouilla aux côtés de son aminche.

— Ohé, Taches de son ! dit-il en lui secouant énergiquement le bras.

Le gamin ne bougea pas. Inquiet, le jeune garçon le fit rouler sur lui-même.

Goupil baignait dans son sang, le visage meurtri. Sa respiration était presque imperceptible. Il fallait faire vite, ou il mourrait.

Soudain, la porte claqua derrière Pierrot. Il se retourna, sur le qui-vive.

Bouffe-Cailloux et ses sbires, un gourdin à la main !

— J'crois bien qu'on a un compte à régler, toi et moi, lui lança l'édenté avec hargne.

# 20

# Prisonnier

L'Ogre s'arrêta devant une haute bâtisse délabrée. La porte d'entrée n'était plus de la première jeunesse et l'un des volets pendait, dégondé, comme un œil jaillissant hors de son orbite. Placée à l'écart de toute autre habitation, aux confins de Ménilmontant, à la lisière de la Zone, la baraque était le lieu idéal pour ses petites affaires. Elle passait inaperçue, encadrée par des terrains vagues encombrés de broussailles et d'arbres morts. En scrutant l'horizon, on ne voyait aucune de ces bicoques construites par les miséreux. Cette partie-ci, plus au nord, faisait office de décharge. Nul ne pouvait donc soupçonner les activités qui se tramaient dans la demeure isolée.

Sortant une clé de la poche de sa redingote, l'Ogre ouvrit la porte de la masure. Il constata avec plaisir que les garçons avaient nettoyé et rangé la cuisine.

Elle étincelait. Brave Bouffe-Cailloux, il lui était bien utile.

L'homme retira d'un placard un paquet soigneusement enveloppé dans un torchon. Il le déposa sur la table. Un sourire illumina son visage, comme un gosse le jour de Noël.

Une montagne de charbon. C'est la première chose que remarqua Pierrot en revenant à lui. Bâillonné et ligoté, il ne pouvait ni parler ni bouger. Ses muscles le faisaient abominablement souffrir et une douleur aiguë lui taraudait le flanc.

La cave était sombre, mais on distinguait sans trop de difficultés les contours de la pièce. À l'extérieur, il devait encore faire jour. Pierrot explora les lieux du regard et aperçut une forme sombre, qu'il reconnut aussitôt. Blandine ! Elle était en vie ! Le garçon percevait sa respiration, lente et profonde. Il avait du mal à retenir sa joie. Elle fut pourtant de courte durée : la jeune fille était enchaînée au mur, comme un animal.

Son impuissance le rendait malade. Deux de ses amis étaient en danger : Blandine, qu'il aimait par-dessus tout, et Goupil, son compagnon des bons et des mauvais jours. Sans parler du Chauffeur, emprisonné à tort. Et il n'y pouvait rien ! Ça ne pouvait pas se terminer ainsi.

Il devait s'échapper.

Après avoir déroulé le torchon, l'Ogre en sortit une série de couteaux de boucher qu'il disposa sur la table de la cuisine. Il y en avait de toutes les tailles, du plus grand au plus petit. La ligne s'achevait par des hachoirs, sans doute l'ustensile qu'il préférait. Il enfila ensuite un tablier d'un blanc immaculé : il voulait protéger son costume des éclaboussures de sang. Elles étaient inévitables. L'expérience le lui avait appris.

Quel dommage que la lavandière soit obligée de le quitter aussi vite... Il tuerait d'abord l'enfant et s'occuperait ensuite de la fille. L'intervention de ce maudit garçon avait faussé la donne. Sans parler de la police, qui s'intéressait de près à son petit réseau de distribution. Mais il avait protégé ses arrières. Personne n'était en mesure de prouver quoi que ce fût. Il s'était arrangé pour que les corps des deux premières jeunes femmes fussent effacés de la surface de la Terre. Pour cela, son commerce de viande avariée s'était révélé très pratique. Parmi les pauvres et les affamés, qui ferait la différence entre un quartier de bœuf et une pièce de chair humaine ?

Il contempla le crucifix sur le mur et murmura une prière. C'était une croisade. Il faisait œuvre utile en débarrassant la ville de ces catins, ces créatures qui se complaisaient dans la luxure et le vice. Il avait cru que Blandine était différente, mais elle s'était laissé corrompre en acceptant les avances de ce grand voyou blond, Marcelin. Comme « Elle » l'avait fait en son temps dans les bras de toutes les fripouilles qu' « Elle » croisait.

On l'avait surnommé l'Ogre mais il se voyait plutôt comme un rédempteur, un ange envoyé par le Ciel pour punir les pécheurs.

Et il comptait bien accomplir la mission divine qui lui avait été confiée.

## 21
## Une évasion providentielle

ÉCRASÉ PAR LA FATIGUE, Pierrot s'était presque assoupi. Ces derniers jours avaient apporté leur lot d'épreuves. Il avait bien tenté d'écouter les bruits de la rue, dans l'espoir d'y déceler les voix de passants. Mais la maison devait être isolée, car on n'entendait rien, à l'exception du sifflement du vent.

C'était un son nouveau et désagréable qui sortit Pierrot de sa torpeur. Une sorte de mélodie dissonante. Ce couinement était reconnaissable entre tous !

Crincrin ! C'était sa brouette qui grinçait de cette manière inimitable, poussant son chant plaintif de violon désaccordé.

Il n'y avait pas un instant à perdre ! Pierrot se tortilla sur le sol pour s'approcher du soupirail. Il devait avertir le livreur de charbon, par n'importe quel moyen. Arrivé près du mur, il se frotta rageusement le visage contre celui-ci. La pierre l'égratigna méchamment, mais il continua tout de même.

La mélodie s'éloignait. *Vite!*

Il s'échina encore, et encore. Ses joues, abîmées par la friction de sa peau contre le mur, dégoulinaient de sang.

*Allez, allez!*

La brouette était déjà presque trop loin. Et Crincrin avec elle.

Après une poignée de secondes interminables, Pierrot réussit enfin à atteindre son but. Son bâillon se rabattit sur son menton, libérant sa bouche.

*Vite!*

— Crincrin! Crincrin! hurla-t-il à pleins poumons, sans se soucier d'alerter l'Ogre.

Le grincement s'amenuisait.

— Crincrin! entonna-t-il de plus belle, Crincrin!

Plus rien. C'était cuit. La brouette avait dû disparaître sans que son propriétaire ne distinguât son appel.

« Non! se lamenta-t-il, c'est trop injuste! »

Pierrot allait se laisser aller au désespoir quand le couinement recommença, s'amplifiant cette fois.

Le garçon poussa un soupir de soulagement. Le charbonnier l'avait entendu!

Quelques secondes plus tard, la figure crasseuse du grand gaillard apparaissait derrière la grille du soupirail.

— Ben, qu'est-ce que tu fais là-d'dans, bonhomme? l'interrogea-t-il, visiblement surpris de le trouver dans cette posture, attaché et couché sur la terre battue de la cave.

— Je t'expliquerai ça tout à l'heure. Il faut me sortir d'ici. Tu as toujours ton trousseau de clés ?

Crincrin opina vigoureusement du chef :

— Pour sûr !

— Et tu n'aurais pas la clé de cette grille, par hasard ? demanda le gamin en désignant, du menton, le soupirail.

— Ben si, dit le livreur comme s'il s'agissait d'une évidence.

Joignant le geste à la parole, il sortit le trousseau de sa poche dans un concert de tintements. L'anneau comptait bien une trentaine de clés. Il en choisit une avec soin et la fit tourner dans la serrure. Un instant plus tard, l'étroite ouverture laissait passer la lumière du jour.

Tout n'était pas résolu pour autant. Avant de pouvoir s'enfuir, Pierrot devait se défaire de ses liens. Avisant une des bouteilles qui traînaient au sol, il entreprit de la pousser à l'aide de ses jambes. Le gamin donna un puissant coup de reins et le récipient fut projeté contre le mur où il se brisa en mille morceaux. Rampant jusqu'à un des éclats, Pierrot se plaça dos à celui-ci de manière à couper la corde qui enserrait ses poignets.

— Ça va ? demanda Crincrin.

— J'y suis presque...

Enfin, le lien céda en s'effilochant sous les assauts du verre tranchant. Pierrot se servit ensuite du morceau aiguisé pour libérer ses jambes. Une fois délivré de ses entraves, il rejoignit Blandine près du stock de charbon. Le vacarme l'avait réveillée. Ses grands yeux tristes fixaient le garçon, incrédules. Posant délicatement la main sur sa joue, il fit glisser son bâillon. La jeune fille prit une longue inspiration, goûtant la goulée d'air frais qui lui emplissait les poumons.

— Je... je suis... désolée, murmura-t-elle avec difficulté. C'est ma... faute...

Pierrot lui plaça un doigt sur les lèvres :

— Chut, dis pas ça.

— C'est moi qui ai révélé à cet affreux gamin édenté où tu habitais. Je ne voulais pas, mais il m'a frappée, encore... et encore...

— Ce n'est pas grave, la rassura Pierrot en lui caressant les cheveux. (Il se tourna vers Crincrin.) On doit l'emmener.

— Ben, c'est pas possible, s'excusa le charbonnier, elle passera jamais par là.

Pierrot dut se rendre à l'évidence : le soupirail était bien trop étroit pour que Blandine pût l'emprunter. La seule solution consistait à revenir plus tard avec du secours. Il avait pourtant du mal à s'y résoudre.

C'est Blandine qui l'y encouragea :

— Sauve-toi, lui dit-elle. Ça va aller, ne t'inquiète pas.

L'Ogre, alerté par des voix étouffées venant de la cave, interrompit sa préparation. Il s'empara de l'un des hachoirs et se précipita, sans prendre le temps d'enfiler sa cagoule. Pierrot déposa un baiser sur le front de Blandine.

— Je ne vais pas te laisser là. Compte sur moi, je vais revenir, chuchota-t-il.

Il se jeta sur le manche de pelle que lui tendait Crincrin et l'agrippa des deux mains. Au même moment, le livreur de charbon tira sur la pelle. Le gamin s'envola vers l'ouverture. Il franchit sans trop d'efforts le soupirail, remerciant le ciel, pour une fois, d'être aussi petit et maigrichon. Une fois dehors, les deux garçons détalèrent. Le charbonnier n'abandonna pas pour autant sa brouette, semant ici et là des morceaux de combustible.

Pierrot courait de toutes ses forces. Blandine comptait sur lui.

L'Ogre dévala les marches comme un forcené. Des voix émanaient bien de la cave. Il n'avait pas rêvé ! Ses prisonniers avaient retiré leurs bâillons, ou pire. Mais il n'eut que le temps d'apercevoir les pieds de Pierrot avant qu'ils ne disparussent par le soupirail et ne put retenir un cri de rage et de dépit. Voilà qui bouleversait considérablement ses projets. Ce petit fouineur allait certainement rameuter la police !

Menaçant, il s'avança vers Blandine. L'ombre du hachoir se rapprocha d'elle jusqu'à obscurcir son visage...

## 22
# Feuillade a des doutes

FEUILLADE abattit violemment son poing sur le bureau.

— Tu me racontes n'importe quoi, Marcelin! s'emporta-t-il.

L'inspecteur avait fait venir le prévenu jusqu'à son bureau afin de l'interroger. Étalées sur la table de travail en chêne massif de Feuillade, les photographies et les mesures anthropométriques[8] du Chauffeur confirmaient qu'il était, à l'évidence, un criminel irrécupérable.

— J'vous ai dit la vérité, m'sieur, répondit Marcelin d'une voix calme et posée qui contrastait avec la virulence du policier.

---

8. L'anthropométrie était une méthode d'identification à partir des mesures osseuses d'un individu. Il s'agissait d'une classification des types morphologiques qui, prétendument, déterminait telle catégorie de personnes à devenir des criminels. Ce système disparut avec l'arrivée d'une autre méthode d'identification : les empreintes digitales.

Le grand costaud était enchaîné, des fers passés à ses mains et à ses pieds. Une précaution que l'inspecteur jugeait utile malgré la présence de deux agents en tenue, postés devant la porte. Pas question que l'énergumène lui rejouât le coup d'éclat du passage Josset !

— J'ai vérifié chacune de tes affirmations, et aucune ne tient la route, poursuivit Feuillade en se calmant un peu.

— Même pour Rombaldi ?

— Surtout pour Rombaldi ! Je connais ce monsieur depuis fort longtemps. Tes élucubrations sont grotesques.

Marcelin pouvait lire le mépris dans les yeux de son interlocuteur. Feuillade s'était déjà construit sa propre vérité et n'en bougerait pas.

— Vous n'avez rien vérifié du tout, j'en suis sûr, lui lança-t-il en guise de défi.

La colère fit étinceler les pupilles de l'inspecteur.

— Ne me prends pas pour un amateur ! J'ai interrogé Rombaldi et j'ai visité les abattoirs, mais rien de ce que j'ai vu ou entendu ne confirme ton histoire rocambolesque de trafic de viande. Et quand bien même, quel rapport cela pourrait-il avoir avec les enlèvements ?

— Cela a tout à voir, répliqua le costaud, demandez à Bouffe-Cailloux. Il est mêlé aux enlèvements, ça je le sais, et il magouille aussi avec Rombaldi. Il transporte pour lui de la bidoche retapée. Faites vous-même le rapprochement. Il y a un truc louche, c'est évident !

L'inspecteur fulminait. L'assurance de Marcelin lui tapait sur le système. Il se leva et se mit à faire les cent pas autour de la pièce. Tout en marchant, il continua son interrogatoire :

— Ce que je vois surtout, c'est que tu cherches à m'embobiner ! Tu ferais tout pour te sortir des ennuis dans lesquels tu t'es fourré. Quitte à accuser n'importe qui. Tu ferais mieux d'avouer.

— Je ne cherche rien du tout, juste à vous expliquer de quoi il retourne, répliqua le prévenu en s'appuyant contre le dossier de sa chaise, mais vous êtes obtus ! Si vous me laissiez vous dire les choses telles qu'elles sont, ça irait plus vite.

C'en était trop pour Feuillade. L'insolence avait des limites. Il empoigna Marcelin par le col de sa blouse et le tira vers lui. Leurs deux visages n'étaient distants que de quelques centimètres.

— Et ça, tu peux me l'expliquer ? éructa le policier en sortant un objet du tiroir de son bureau.

Le petit bijou se refléta dans les yeux du costaud : une bague ornée d'un caillou à deux sous. Un anneau sans grande valeur, sauf pour la justice.

Pierrot et Crincrin s'étaient séparés à mi-chemin de la Bastille. Le jeune garçon avait demandé à son nouvel ami d'aller secourir Goupil. Avec sa brouette, il pourrait le conduire chez un médecin. Pierrot devait la vie au charbonnier et, s'il arrivait à temps, le rouquin lui serait redevable pour la seconde fois.

Avant de laisser partir le livreur, Pierrot avait toutefois pris soin de récupérer l'une des clés de son précieux trousseau.

Le petit brun atteignit enfin la Bastoche, hors d'haleine, le visage sale et écorché. Il espérait y trouver le Verveur. En voyant son aminche venir à lui en aussi piteux état, le blondinet s'inquiéta :

— Bon sang ! mais qu'est-ce qu'il t'est arrivé ?

— Plus tard. J'ai besoin de toi, répliqua Pierrot en le prenant par l'épaule.

— Pourquoi ? s'étonna le Verveur.

— Pour sauver Blandine !

En quelques mots, le gamin lui expliqua son plan.

Le policier affichait l'air satisfait d'un chat qui vient d'attraper une souris.

— Alors ? dit-il.

— C'est la bague de Victorine... Victorine Pointreau, précisa le Chauffeur.

— La première victime ? demanda Feuillade qui connaissait déjà la réponse.

Marcelin se renfrogna. Tassé dans son siège, il semblait mal à l'aise.

— Oui, répondit-il laconiquement.

— Et comment expliques-tu qu'on l'ait trouvé en ta possession ? insista le fonctionnaire.

— Je l'ai piquée à Bouffe-Cailloux.

— Ah ! encore ce Bouffe-Cailloux, ironisa Feuillade, décidément tu nous l'accommodes à toutes les sauces, celui-là !

L'inspecteur croisa les bras en poussant un soupir.

— J'avais remarqué le manège de l'édenté, continua Marcelin sans lui prêter attention. Deux fois par semaine, il livrait de la viande avariée chez Gudule. Le gamin récupérait la marchandise auprès de Rombaldi pour faire illusion, mais faut pas me raconter d'histoires : j'ai vite pigé que la bidoche ne venait pas des abattoirs. Ce genre de boulot, je connais, et j'apprécie pas. Ça cause du tort aux miséreux.

Le Chauffeur s'interrompit un instant. Il cherchait ses mots.

— Continue, s'impatienta Feuillade en l'encourageant d'un geste de la main.

— Un soir du début de la semaine, j'ai chopé ce morveux pour le sermonner. On a discuté un moment devant chez Gudule, mais il n'a rien voulu entendre. Il a même tenté de me fourguer la bague pour acheter mon silence à propos du trafic de bidoche.

— Et d'où venait-elle, selon lui ? demanda l'inspecteur, de plus en plus intéressé.

— Il m'a affirmé qu'il avait volé la bagouse à une bourgeoise, mais je l'ai reconnue immédiatement. C'était celle de Victorine. Je l'avais vue à son doigt pas plus tard que le vendredi précédent, juste avant qu'elle ne disparût. Je le lui ai dit, mais il a tout nié en bloc. Alors, j'ai gardé la bague. Un peu comme une preuve, quoi. D'ailleurs, j'ai voulu le filer l'autre soir.

Il songea que sans cela Pierrot aurait passé un sale quart d'heure. S'il n'avait pas traîné du côté de Ménilmontant, qui sait ce qui serait arrivé au gamin ?

— Et pourquoi ne pas t'être rendu à la police pour nous apporter ton témoignage ? insista le policier.

— Vous m'auriez écouté ? Moi ?

Feuillade devait reconnaître que le Chauffeur n'avait pas tort. Le voyou marquait un point. Malgré tout, il restait perplexe.

— Emmenez-le, ordonna l'inspecteur aux deux agents qui n'avaient rien manqué de l'entretien, je ne veux plus le voir.

Les policiers s'exécutèrent, chacun d'entre eux attrapant un des bras de Marcelin pour le guider vers la sortie.

— Je suis innocent ! clama le Chauffeur en franchissant le seuil de la porte, traîné par les deux gardiens de la paix. L'Ogre court toujours !

Marcelin disparut dans le couloir, mais ses dernières paroles résonnèrent comme un avertissement : *l'Ogre court toujours*. Le doute travaillait la conscience de l'inspecteur.

À la réflexion, peut-être devait-il essayer de retrouver ce Bouffe-Cailloux.

# 23
## Un sauvetage qui tourne court

QUAND PIERROT ET LE VERVEUR parvinrent aux confins
de Ménilmontant, c'est à peine s'ils remarquèrent le
couple de riffards en train de monter dans un fiacre.
On ne distinguait que le dos de l'homme qui, galant,
aidait sa compagne à escalader le marchepied. Grand
et élégant, il portait un haut-de-forme et une redingote
à la coupe impeccable. La femme était vêtue d'une
somptueuse toilette aux broderies délicates. Son chapeau, doté d'une voilette, lui masquait le visage. Le
cocher fouetta ses chevaux et la voiture se mit en
branle. Elle croisa les garçons alors qu'ils remontaient
la rue en sens inverse, les enveloppant dans un nuage
de poussière.

Pierrot ignora le véhicule. Son plan était simple. Il
voulait se faufiler par le soupirail pendant que le
Verveur ferait diversion. Le blondinet avait pour

mission d'attirer l'Ogre à l'extérieur, par tous les moyens. En l'occurrence, le petit bonneteur comptait briser à coups de cailloux les carreaux des fenêtres de la bâtisse. Il espérait ainsi alerter le propriétaire des lieux.

Les deux compères s'approchèrent avec prudence de la masure isolée. La route pavée avait laissé place à un chemin boueux. La rupture avec la ville était brutale, comme s'ils avaient franchi une invisible frontière. Au-dessus de leurs têtes, le soleil avait disparu derrière d'impressionnants nuages gris. La nature leur lançait-elle un avertissement ? Après un ultime clin d'œil, Pierrot se dirigea vers la baraque. Il était convenu que le Verveur ne mènerait son offensive qu'après que son poteau eut pénétré dans la cave. Le petit brun s'étant éloigné, son complice commença à ramasser les plus grosses pierres qu'il pouvait trouver.

Pierrot s'agenouilla devant le soupirail, mais n'eut pas à sortir sa clé. La grille était encore déverrouillée. Il se glissa par l'ouverture. Après une ou deux contorsions, ses pieds touchèrent le sol et il atterrit en douceur sur la terre battue de la cave. Quelques secondes s'écoulèrent avant que ses yeux s'habituassent à l'obscurité.

Les mains posées sur le mur, Pierrot se dirigea à tâtons. Tandis qu'il approchait du coin sombre où Blandine se trouvait enchaînée, l'inquiétude le submergea comme un raz-de-marée. Il avait beau tendre l'oreille, il n'entendait rien, sinon sa propre respiration.

« Pourvu qu'il ne soit pas trop tard ! »

Clang ! un bruit de vitre brisée l'avertit que le Verveur avait commencé son ouvrage. Pierrot sortit une pince coupante de sa veste — il l'avait subtilisée en chemin — mais il ne trouva rien au pied du tas de charbon. La chaîne gisait à terre.

Et pas de Blandine.

Le fiacre filait à vive allure à travers les rues de la capitale, transportant Blandine vers une destination inconnue. Assis à ses côtés, l'Ogre la menaçait d'un revolver dissimulé dans sa poche. L'homme l'avait prévenue qu'il n'hésiterait pas à s'en servir.

Après la fuite de Pierrot, l'assassin avait délivré la jeune fille de sa chaîne et conduite à l'étage sous la menace du hachoir. Une bassine d'eau et du savon lui avaient permis de faire un peu de toilette. Une fois Blandine présentable, il l'avait forcée à revêtir une robe bourgeoise. La voilette du chapeau dont elle était coiffée dissimulait entièrement ses traits. Blandine ignorait ce que l'homme voulait d'elle, mais ne doutait pas que cela se terminerait mal. Les yeux de l'Ogre brillaient d'un éclat sauvage. Son identité — car elle le connaissait ! — n'était qu'un leurre. Un paravent destiné à cacher sa véritable nature, qui ignorait la compassion.

# 24
## Les trophées de l'Ogre

Pierrot souleva la trappe (l'Ogre n'avait pas pris la peine d'en cadenasser le plateau) et grimpa dans la cuisine. Il poussa un petit cri de surprise en tombant nez à nez avec le Verveur. N'observant aucune réaction suite à son « caillassage », le blondinet avait glissé sa main par un des carreaux cassés pour débarrer une des fenêtres et pénétrer à l'intérieur :

— Où il est, ton Ogre ? demanda-t-il en roulant des yeux méfiants.

— J'en sais rien, répondit Pierrot. Blandine n'est plus en bas. Peut-être qu'il l'a emmenée avec lui ?

Il n'osait pas imaginer d'autre explication. Sur la table, plusieurs couteaux étaient alignés, comme pour une revue militaire. Cette mise en scène lui arracha des frissons.

Les garçons décidèrent d'explorer les lieux, dans l'espoir d'y dénicher un indice. Ce fut rapide. Les poubelles de la cuisine ne contenaient que quelques ossements d'animaux et les placards ne révélèrent rien que de très ordinaire. Une bassine d'eau savonneuse traînait dans un coin, abandonnée à même le sol.

La bâtisse ne comptait qu'une seule autre pièce :

— Allons voir, proposa Pierrot.

La porte était fermée à clef. Le Verveur opta pour un crochetage en règle de la serrure. Comme à son habitude, il ne lui fallut que quelques secondes pour opérer. Les deux garçons découvrirent alors un bureau somptueusement décoré, qui détonait avec le reste de la bicoque.

« Un bureau bourgeois dans cette maison miteuse ? »

De nombreux tableaux ornaient les murs, mis en valeur par des cadres aux dorures raffinées. Moins tape-à-l'œil, un plan de Paris et un modeste calendrier surmontaient une table de travail. Dans un angle de la pièce, un fauteuil d'aspect confortable était disposé de façon à bénéficier au mieux de la chaleur dégagée par la cheminée.

— Mon Dieu ! Tu vois ce que je vois ? s'exclama soudain Pierrot, le visage tordu de dégoût.

L'Ogre contemplait Blandine. La jeune femme était si belle dans sa toilette soignée ! Bien loin de la crasse et de la puanteur dans laquelle ceux de sa classe semblaient se complaire... Pour un peu, il se serait cru en compagnie d'une dame de qualité, au bras d'une bonne chrétienne. Cette pensée lui réchauffa le cœur. Quel dommage ! Il aurait pu façonner Blandine, en faire sa création. Il aurait pu l'éduquer. Tant de promesses, perdues à jamais ! Tout ce que, malgré ses efforts, il n'avait jamais réussi à obtenir d' « Elle »... L'Ogre jeta un œil par la fenêtre de la portière. Le fiacre arrivait à la Concorde. Enfin ! Les chevaux firent un écart quand le cocher tira sur les rênes, provoquant une légère embardée. Une immense structure métallique se dressait devant la voiture. L'homme esquissa un sourire.

Si cette journée devait être sa dernière, elle témoignerait de sa gloire.

Deux crânes humains reposaient sur le rebord de la cheminée, encadrant une petite horloge. Parfaitement lisses et récurés, ils brillaient comme des médailles. L'Ogre s'était octroyé des trophées. Macabre découverte ! En contemplant les restes d'Huguette et de Victorine, les adolescents réalisèrent toute la folie de l'assassin. Le teint du Verveur vira au vert. Il plaqua ses mains sur sa bouche et sortit de la pièce en courant. Compatissant, Pierrot se boucha les oreilles pour ne pas entendre son ami qui vomissait dans la cuisine.

Le petit brun s'approcha du bureau, bientôt rejoint par le Verveur qui se remettait de ses émotions. Un livre de comptes reposait sur de la paperasse. Pierrot souleva l'épaisse couverture de cuir et en compulsa les pages. Des chiffres s'alignaient sur deux colonnes.

— Sûrement les transactions entre l'Ogre et les abattoirs, suggéra le Verveur, il y a des quantités et des prix, mais pas de noms. Il est prudent, le sinvre !

Pierrot approuva d'un signe de tête. Il était déçu. Rien ne confirmait que Feuillade était bien l'Ogre. Rien ne lui indiquait l'endroit dans lequel il avait pu emmener Blandine.

« Si elle n'est pas déjà morte. »

Il chassa cette pensée déprimante et inutile. Que faire à présent ? Où aller ? L'assassin pouvait se trouver dans n'importe quel quartier de la capitale.

Réfléchir. Il devait réfléchir. Ses yeux s'égarèrent sur la carte fixée au-dessus du bureau. À bien y regarder, il ne s'agissait pas d'un simple plan de Paris. Le centre de la ville y figurait, mais agrémenté de petits dessins soignés représentant les installations de l'Exposition universelle. Un lieu en particulier avait été entouré à l'encre rouge.

Pierrot se frappa le front de la paume de sa main.

« Mais bien sûr ! L'inauguration ! »

— On est quel jour ? demanda-t-il vivement à son camarade.

Intrigué, le Verveur regarda le calendrier mural.

— Le 14, mais...

Pierrot ne lui laissa pas le temps de finir sa phrase. La solution lui était apparue, aussi limpide que les eaux d'un lac ! Il avait fait fausse route. Le petit brun attrapa le Verveur par les épaules et planta son regard droit dans le sien :

— Va chercher Feuillade! Tu dois le convaincre de me rejoindre à l'Exposition universelle!

— Mais enfin, grogna le Verveur interloqué, tu m'as dit que c'était lui, l'Ogre...

Le crieur de journaux ne comprenait rien au revirement soudain de son aminche. Il tripota avec nervosité les cheveux qui dépassaient de sa casquette, les emberlificotant autour de ses doigts.

— Ne discute pas, le supplia Pierrot, on n'a pas beaucoup de temps!

Et il décampa. Stupéfait, l'autre môme resta figé sur place.

— Mais où? cria-t-il, elle est grande l'expo, comment Feuillade fera-t-il pour te trouver?

— Dis-lui de se rendre sur le Champ-de-Mars!

Le gamin avait déjà enjambé la fenêtre de la cuisine, bien décidé à voler au secours de Blandine avant que l'irréparable se fût produit.

## 25
## Une mauvaise surprise

LE VERVEUR s'apprêtait à quitter la demeure de l'Ogre quand il se ravisa. Faisant marche arrière, il retourna jusque dans le bureau pour récupérer le livre de comptes : un document qui pourrait convaincre Feuillade. Le blondinet fourra le registre dans sa poche. Il envisagea d'embarquer aussi les deux crânes, mais y renonça. Les policiers n'auraient qu'à faire leur boulot. Il ne tenait vraiment pas à toucher les têtes de mort. Rien qu'à cette idée, il eut un haut-le-cœur. Il valait mieux qu'il partît d'ici avant que son estomac ne fît à nouveau des siennes.

La fenêtre de la cuisine était toujours grande ouverte, ses carreaux brisés. Le Verveur balaya du pied les innombrables morceaux de verre traînant à terre et entreprit d'escalader le rebord. Soudain, il s'arrêta, alerté par le bruit d'une clé tournant dans une serrure.

Quelqu'un ouvrait la porte d'entrée. Le blondinet passa une tête prudente par la fenêtre. Juste à temps pour voir Taureau entrer dans la demeure. La seconde voix, résonnant dans le vestibule, indiquait qu'il n'était pas seul :

— Allez, dépêche-toi Taureau, grogna Qu'un Œil, le patron nous a demandé de débarrasser la baraque avant que les cognes rappliquent.

— C'est bon, c'est bon, j'arrive, lâcha la brute au nez cassé.

— Occupe-toi de virer tous les documents du bureau, et n'oublie pas les « trophées » de Monsieur. Moi je me charge de récupérer la panoplie de couteaux.

— Ça roule, répondit Taureau.

Le Verveur s'affola. Les deux voyous se rapprochaient. Il recula instinctivement, paniqué, et sentit quelque chose crisser sous sa semelle.

« Qu'est-ce que... ? »

Son pied dérapa et il s'affala avec un bruit sourd. Le gamin venait de glisser sur les débris de verre qu'il avait repoussés un instant plus tôt, tombant dans un piège qu'il s'était lui-même tendu.

Les deux sbires de Bouffe-Cailloux rappliquèrent immédiatement, pareils à des chiens enragés.

Feuillade, avec quatre de ses hommes, avait fouillé tous les cafés de la Couronne sans résultat. Il désespérait de mettre la main sur Bouffe-Cailloux, quand un agent de ville courut vers lui comme un dératé.

— Inspecteur ! Inspecteur ! cria le policier, le souffle court.

— Que se passe-t-il, Bourdieu ?

— Je l'ai vu, chef, je l'ai vu ! réussit à articuler Bourdieu entre deux halètements. Il est dans le bistrot, là-bas.

Il désigna la devanture d'un bar situé de l'autre côté de la rue, *L'Estaminet*.

— Et lui, il t'a vu ? l'interrogea son supérieur, soucieux que le suspect ne lui filât pas entre les pattes.

— Non, chef, je ne crois pas, je ne suis pas entré, je l'ai aperçu à travers la vitre : un gamin édenté assis à siroter un verre avec un autre môme à qui il manque le nez.

Sans attendre, Feuillade fit signe de la main aux quatre policiers et s'engouffra dans le bistrot.

# 26

# Les aveux de Bouffe-Cailloux

Le Verveur sauta par la fenêtre et fila sans réfléchir en
direction de la Zone, Qu'un Œil et Taureau fonçant à
sa suite. Devant le blondinet, ce n'était que terrains
vagues et broussailles. Et personne pour l'aider !
Comble de malchance, il s'était tordu la cheville
gauche en sautant. Prenant sur lui, il poursuivit sa
course, traînant sa patte folle comme un boulet.
Taureau avait devancé Qu'un Œil. Plus fort, plus
rapide, il se rapprochait seconde après seconde de sa
proie. Le blondinet savait la partie perdue d'avance.
Le colosse serait bientôt sur lui, et une fois que celui-
ci l'aurait rattrapé, il ne donnait pas cher de sa peau.
Des larmes coulèrent sur ses joues, chaudes et salées.
Il jeta un regard par-dessus son épaule. Taureau n'était
plus qu'à quelques mètres. Qu'un Œil se montrait plus
économe de ses forces, mais il ne se laissait pas

distancer pour autant. Distrait par ses poursuivants, le Verveur ne vit pas la grosse pierre qui lui barrait le chemin. Il trébucha et tomba lourdement, le nez dans la terre boueuse. Taureau éclata d'un rire sauvage. Cette fois, c'était la fin.

*L'Estaminet* se voulait élégant. Doté de banquettes de velours rouge surmontées de miroirs, le troquet aurait souhaité attirer un public raffiné. Malheureusement, le rouge du tissu avait eu l'effet de la cape du torero sur les truands du coin, et les voyous de Ménilmontant en avaient fait leur repaire.

Installés au fond de la salle, Bouffe-Cailloux et l'Affreux dégustaient un pichet d'eau d'aff, vidant verre après verre. C'est à peine si le chef de bande leva les yeux sur Feuillade quand celui-ci s'assit face à eux. Les gardiens de la paix attendaient debout, les bras croisés, derrière leur supérieur.

— On a des choses à se dire, toi et moi, lança l'inspecteur d'une voix autoritaire.

L'édenté contemplait obstinément la surface de son godet.

— Ah ouais? Et quoi donc? lâcha-t-il sur un ton méprisant.

— Tu pourrais me parler de ton copain... l'Ogre.

— Je ne vois pas à quoi vous faites allusion, et toi l'Affreux?

— Alors là, pas du tout, ricana son comparse.

— Et Blandine, et les autres filles, le titilla le policier, cela ne te dit rien?

L'adolescent le regarda droit dans les yeux, d'un air de défi :

— Non, que dalle.

— Pourtant, on m'a parlé d'une bague que tu avais en ta possession, insista Feuillade.

Bouffe-Cailloux tiqua, mais se ressaisit en un clin d'œil.

— Va te faire foutre, maugréa-t-il entre ses dents avant d'avaler une gorgée de son eau d'aff.

L'insulte avait été proférée d'une voix presque inaudible. Mais Feuillade avait l'ouïe fine. Ses traits se durcirent. Il expira fortement par son nez crochu, ses narines se dilatant sous l'effet d'une colère contenue.

*Ne joue pas à ça avec moi, mon gaillard,* voulait dire son regard, aussi aiguisé qu'une lame de rasoir. Mais Bouffe-Cailloux ne semblait pas réceptif à ce genre de message : le môme lui dédia son sourire le plus cynique, agrémenté d'un haussement de sourcils provocateur.

La taloche atteignit l'édenté en pleine joue. L'inspecteur l'avait frappé sèchement, sans prévenir. Les gencives du garçon heurtèrent le verre et un filet de sang se mélangea à la boisson. L'Affreux voulut intervenir, mais l'un des agents de ville lui plaça son bâton blanc sous le menton, le plaquant contre le dossier de la banquette.

— C'est de la brutalité policière, cracha Bouffe-Cailloux en même temps qu'une de ses rares dents.

— Quand il s'agit d'un gamin aussi mal élevé que toi, j'appelle ça une correction amplement méritée, répondit Feuillade sans se départir de son sang-froid.

— Connard !

Pour toute réponse, Feuillade l'attrapa par le col et le fit valser par-dessus la table. Le voyou atterrit sur le sol en geignant. Un silence stupéfait s'installa dans la salle. Quelques-uns des clients filèrent sans demander leur reste. Sans doute des habitués de la *maison poulaga*[9], peu pressés d'y refaire un séjour.

— Salaud ! se plaignit Bouffe-Cailloux.

— Décidément, tu n'es pas bien poli, le réprimanda l'inspecteur en l'empoignant par les cheveux.

Saisissant aussi son fond de culotte, il le déposa sur le zinc et le projeta le long du comptoir de métal. Les verres volèrent sous les yeux médusés du tenancier et des consommateurs qui s'écartèrent pour ne pas être éclaboussés. Bouffe-Cailloux termina sa course en effectuant une cabriole digne du meilleur des acrobates de cirque.

L'adolescent gémissait de douleur et d'effroi.

— Et maintenant ? demanda Feuillade.

— Je... je vais tout vous dire... glapit l'édenté.

— Je vais tout vous dire QUI ? insista le policier.

— MONSIEUR, je vais tout vous dire MONSIEUR, rectifia le garçon.

Feuillade lui tapota gentiment le sommet du crâne.

---

9. La prison.

— Eh bien voilà ! ce n'était pas si difficile ! Allez, embarquez-moi tout ça, ordonna-t-il à ses hommes, et appelez d'autres agents de ville en renfort, je sens qu'on va avoir besoin d'eux.

Le Verveur pensait sa dernière heure arrivée. Incapable de se relever, il tenait sa cheville foulée. Les deux vauriens le dominaient de toute leur hauteur, un rictus mauvais sur le visage. Taureau repoussa un pan de sa veste et introduisit une de ses mains dans la poche de son pantalon. Avec une lenteur délibérée, il en tira un couteau, se régalant de la terreur qu'il pouvait voir grandir dans les yeux du blondinet. Le gamin tenta de supplier, mais aucun son ne sortit de sa bouche. Son larynx était incapable de produire le moindre son. Le colosse se pencha sur lui en se léchant les babines. Il adorait tuer. À ses côtés, Qu'un Œil avait croisé les bras et appréciait le spectacle d'un œil — c'était le cas de le dire — expert.

Le Verveur ferma les paupières. Il se contracta quand la lame du poignard se posa sur sa gorge, mais se refusa à rouvrir les yeux. Résigné, il attendit le coup de grâce.

Blong ! Le son, rond et profond, résonna presque comiquement. Les matraques des policiers s'étaient abattues simultanément sur les têtes des deux voyous. Taureau et Qu'un Œil s'effondrèrent comme un seul homme, assommés. Le Verveur poussa un soupir de soulagement. Une vingtaine de gardiens de la paix l'entouraient. Jamais il n'avait été si content de voir

débarquer les cognes ! C'était moins une. Il se laissa
tomber en arrière, goûtant la sensation du sol froid
dans son dos trempé de sueur.

Un des agents contempla son bâton blanc avec
fierté. C'était une sacrée invention[10] !

— Vive la modernité ! s'écria-t-il joyeusement.

Le Verveur releva la tête et lui sourit. Vu les circonstances, il était d'accord.

---

10. Ce fut le préfet Lépine qui décida, en mars 1900, d'équiper tous les
policiers de Paris de matraques, mais aussi de revolvers.

## 27
## À la Concorde

Pierrot n'en croyait pas ses yeux. Il l'avait bien sûr déjà vue de loin, mais là, si près ! La porte monumentale ! Elle ouvrait sur les mystères de l'Exposition universelle. Le gamin l'épousa du regard, s'imprégnant de chaque détail. Une imposante coupole reposait sur des arches en nids d'abeilles, qui abritaient une assemblée de dix-huit guichets, coiffés de drapeaux de toutes les nations. De chaque côté, des murs latéraux décorés de fresques se terminaient par deux grandes colonnes.

Le gigantesque monument s'élevait vers le ciel comme un bras tendu vers le soleil. Pierrot mit sa main en visière pour mieux en distinguer le sommet. Une élégante sculpture, posée sur un piédestal, surmontait l'arc principal : un hommage à la Liberté. Le garçon s'avança un peu, se plaçant entre les quatre piliers

encadrant la porte. Ils supportaient la mâture d'ori-
flammes aux couleurs de la France. Les étendards
s'accordaient avec les trois nuances choisies pour parer
l'édifice : le bleu, le blanc et le rouge. Des arbres ha-
billés de fruits d'or et de lumières accueillaient les visiteurs : un miracle de la fée électricité.

La foule se pressait, nombreuse, impatiente de participer aux réjouissances de cette première journée. Des
fiacres arrivaient de tous les coins de la ville, déversant
leur flot de passagers. Des bourgeois et leurs épouses
faisaient la queue pour accéder aux guichets, mais aussi
des ouvriers endimanchés qui fanfaronnaient au
bras de leurs conquêtes. Une fois franchi le seuil de
l'Exposition, on disait que tous les rêves se réalisaient :
visiter l'Orient, l'Afrique... toutes ces terres que possédait la France et sur lesquelles aucun d'entre eux ne
mettrait jamais le pied. Les pavillons coloniaux du
Trocadéro leur permettraient d'approcher un peu cette
réalité lointaine. Ainsi, les curieux se délecteraient-ils
des trésors du Tonkin, de l'Algérie ou du Dahomey. Il
se murmurait qu'il était possible de se faire photogra-
phier en compagnie de plusieurs des *bons sauvages* peu-
plant ces contrées éloignées. Frisson garanti !

Pierrot se gratta la tête. Comment allait-il réussir à
pénétrer dans l'enceinte ? Il n'avait pas un sou en poche
et il doutait que les caissières lui fissent la charité d'un
billet.

« Une astuce, il faut que je trouve une astuce. »

Autour de lui, les badauds étaient de plus en plus
nombreux. Il ne distinguait plus qu'un océan de têtes.

La marée humaine le souleva. Ainsi ballotté, il remarqua que, juste devant lui, une famille de riffards se débattait pour rester à la «surface» : un père et ses deux enfants (une fille et un garçon). Pierrot ne donnait pas plus de huit et dix ans aux deux mouflets.

C'est à ce moment précis que l'idée lui vint, aussi lumineuse que les arbres plantés à l'entrée de l'Exposition universelle.

Hubert Feuillade se fraya un chemin parmi ses hommes. Les agents de ville s'étaient attroupés autour du Verveur, formant une sorte de haie protectrice. Une vingtaine de paires d'yeux le regardèrent passer en silence. L'inspecteur enjamba les deux voyous étendus à terre, puis s'agenouilla auprès du gamin.

— Ça va, petit ? lui demanda-t-il aimablement. Rien de cassé ?

Surpris par tant de gentillesse, le blondinet eut un léger mouvement de recul et fit non de la tête. Un sourire approbateur se dessina sous le nez crochu de Feuillade. Le policier se redressa et ôta son chapeau melon, s'épongeant le front avec un mouchoir. Son regard balaya l'assistance. Il finit par s'arrêter sur un des gardiens de la paix.

— Bourdieu, débarrassez-nous de cette vermine, voulez-vous, ordonna-t-il en désignant d'un geste désinvolte Taureau et Qu'un Œil.

L'interpellé, aidé de trois de ses collègues, s'exécuta sur-le-champ. Ils traînèrent les corps un peu plus loin. Les crânes des deux crapules rebondissaient sur le sol irrégulier, heurtant les pierres. Entre les coups de matraque et ce traitement, ils auraient à n'en pas douter un sacré mal de tête en se réveillant.

Le Verveur se releva à son tour.

— Il faut aller à l'Exposition universelle, M'sieur, sur le Champ-de-Mars, débita-t-il à toute vitesse.

Étonné, Feuillade se tourna vers lui.

Avec précipitation, le blondinet sortit le livre de comptes de sa poche et le présenta à Feuillade :

— Tenez !

L'inspecteur prit le registre des mains du petit bonneteur. Il en feuilleta rapidement les pages, s'arrêtant au hasard sur l'une d'elles. Son doigt souligna les colonnes qui y étaient tracées. Ses lèvres formaient en silence les chiffres qu'il découvrait sur le papier. Après un court moment, il porta à nouveau son regard acéré sur l'enfant. Un éclat vif y brillait :

— Montre-moi donc où tu as trouvé ceci, mon garçon.

Pierrot s'était glissé à la suite de la petite famille. Des colonnes s'étaient spontanément créées, dessinant une étoile dont les branches se dirigeaient vers chacun des guichets.

Devant lui, les deux gamins ne cessaient de harceler leur père :

« Dis Papa, c'est vrai qu'il y a une grande roue ? Papa, il se trouve à quel endroit le palais de l'électricité ? Papa, tu nous achèteras une glace ? »

L'homme leur répondait patiemment, sans jamais se départir de sa bonne humeur. Pierrot les enviait, ces deux-là. Leur père était à leurs côtés, attentif, aimant. Lui n'avait personne, à part Blandine. Pierrot fut tiré de ses rêveries par une voix féminine. Il réalisa alors qu'il avait presque atteint le guichet. Une petite cabane abritait la jeune femme qui délivrait les tickets. Un sourire charmeur sur les lèvres, elle s'adressait au papa attentionné :

— Par ici, monsieur.

C'était le moment! La fille était plutôt jolie et, tout bon paternel qu'il était, l'homme ne se montra pas insensible à ses charmes. Il lui rendit son sourire. À l'instant où elle fit pivoter la barrière pour le laisser entrer, Pierrot profita de l'inattention du bourgeois pour se faufiler entre ses moutards. La guichetière compterait trois enfants et non deux, mais le temps que le type se rendît compte qu'on lui avait facturé un billet supplémentaire, Pierrot serait déjà loin. C'était du moins ce dont il était persuadé lorsqu'une main ferme se posa sur son épaule.

Ce n'était pas le visage avenant du père de famille qu'il découvrit en levant les yeux, mais une figure inconnue et sévère. Absorbé par sa combine, le gamin n'avait pas remarqué le contrôleur installé sur le côté de la cabine. En revanche, le bonhomme, lui, n'avait rien manqué de son manège.

— C'est votre fils? demanda l'austère personnage en se tournant vers le riffard.

Le bon papa prit un air surpris :

— Pas du tout, je ne l'ai jamais vu auparavant, répondit-il, d'ailleurs regardez ses habits ! C'est un petit miséreux...

Pierrot profita de cet échange verbal pour se dégager de l'emprise de l'agent de service et lui envoyer un formidable coup de pied dans le tibia.

— Argh ! sale petit...

Pierrot n'entendit pas la fin de l'insulte. Il démarra en trombe, laissant la gentille petite famille se débrouiller avec son ticket en trop, et le fonctionnaire masser sa jambe endolorie. Dissimulé par une foule épaisse et compacte, il ne fut bientôt plus qu'une fourmi au cœur de la fourmilière. Quand il fut assuré d'avoir mis une distance suffisante entre le contrôleur et lui, Pierrot s'accorda un court instant pour observer les alentours. La scène qu'il découvrit le cloua sur place. De gigantesques monuments occupaient les quais de la Seine, si nombreux qu'ils obscurcissaient l'horizon : les pavillons étrangers. Toutes les époques et tous les styles se trouvaient mêlés dans ces palais alambiqués, aux couleurs chatoyantes. Ils reflétaient le passé de chaque nation. Les flèches gothiques cohabitaient avec les coupoles byzantines, les colonnes et les pilastres Renaissance avec le baroque le plus débridé, dans un joyeux anachronisme.

Au loin, sur le Champ-de-Mars, on devinait la tour Eiffel. Cependant, l'immense place laissait entrapercevoir d'autres merveilles : la grande roue, mais aussi le château de l'électricité avec ses cascades et les gerbes d'étincelles qui, par intermittence, fusaient dans le ciel.

Pierrot n'en revenait pas. Cela dépassait tout ce qu'il avait pu imaginer.

L'Exposition était une authentique ville dans la ville. Cent douze hectares de constructions éphémères. Des centaines de lampadaires électriques. Quelle formidable avancée technique ! Si bien sûr on oubliait que les systèmes d'éclairage modernes, gaz et électricité, transformaient lentement les ouvriers des usines en véritables forçats, les contraignant à enchaîner les heures de travail jour et nuit. En contemplant ces merveilles, Pierrot se rendit compte que la modernité était en marche, indomptable, impitoyable. L'ère de l'industrie, de la science et des machines ! Rien ne pourrait l'arrêter. La société allait sous peu s'engager dans un nouveau siècle, pour le meilleur comme pour le pire.

« Bon. C'est pas tout, ça », se dit-il.

Le jeune garçon était presque certain que l'assassin ne voudrait pas rater l'inauguration. Pas après avoir attendu si longtemps. Après tout, le président de la République ne devait-il pas citer son nom dans son discours ?

Pierrot devait retrouver Fontemps et secourir Blandine. Il n'était pas très difficile de s'orienter dans l'enceinte : la « dame de fer » lui montrait le chemin.

# 28
## Sur la piste de l'Ogre

L'OGRE tenait son arme braquée sur Blandine. Le canon du revolver lui meurtrissait les côtes. Pourtant, l'illusion était parfaite. Pour n'importe quel observateur, la jeune femme donnait l'impression de se promener au bras de son mari. Un adorable petit couple.

La folie de l'homme était totale. Ses actes n'avaient plus de sens. En tout cas pas pour elle. Gustave Fontemps fonctionnait selon une logique interne que lui seul semblait en mesure de décoder.

Malgré le danger, le vieux bourgeois avait tenu à rejoindre le Champ-de-Mars pour assister au discours du chef de l'État. La foule, toujours plus nombreuse, se massait autour de l'estrade. On entendait des « hourras ! » et des « vive le président ! ». La fanfare entama la *Marseillaise*, puis le président Loubet prit la parole. L'événement était d'importance. Tous les ministres du gouvernement avaient répondu «présent», ainsi que les sénateurs, les députés et les hauts fonctionnaires du pays. Dans le fiacre, l'Ogre avait longuement expliqué à la jeune femme l'honneur que le président allait lui faire en l'évoquant durant son allocution. Il affichait un sourire ravi.

Blandine remarqua qu'un escadron de cuirassiers encerclait la place. Les militaires étaient là pour éviter tout débordement et garantir la sécurité du président et de ses invités. Elle aurait voulu crier, appeler à l'aide, mais l'arme pointée sur elle l'en dissuada. Si seulement elle réussissait à attirer l'attention de l'un des soldats! Peine perdue. Son épaisse voilette l'isolait. Et le premier mot qu'elle prononcerait serait certainement le dernier.

Pierrot n'était maintenant plus très loin du Champ-de-Mars. Il avait suivi le tracé du trottoir roulant pour ne pas s'égarer dans les allées. Cette plate-forme mobile permettait de faire le tour de l'Exposition sans se fatiguer. Et à plus de vingt mètres de hauteur! À mi-chemin entre le sol et ce trottoir aérien passait la voie ferrée destinée au train électrique. Les deux structures se croisaient régulièrement, formant des carrefours aux points stratégiques de la fabuleuse foire.

*Enfin! La tour Eiffel!*

Le nombre des curieux attroupés sur l'esplanade s'élevait à plusieurs centaines. Pierrot chercha des yeux sa chère Blandine. Ce n'était pas une tâche facile. Du haut de sa petite taille, il ne voyait que des dos, de costumes ou de robes.

Mais une moustache connue attira bientôt son attention. L'intuition de Pierrot était juste : Fontemps était bien là, perdu parmi les spectateurs. Bien que voilée, la jeune femme qui l'accompagnait ne pouvait être que Blandine. Elle était en vie ! Le cœur du garçon fit un bond dans sa poitrine.

Sur l'estrade, le président termina son discours sur un traditionnel *Vive la France ! Vive la République !*, laissant l'orchestre entamer un nouvel air et les partisans de Loubet se déchaîner. Bousculé, ballotté, Pierrot tenta avec difficulté de garder son équilibre dans cette mer de bras et de jambes qui s'agitait en tous sens. Quand il y parvint enfin, il constata que Blandine et Fontemps avaient disparu.

L'Ogre avait vu le gamin. Ce petit fouineur l'avait retrouvé ! Il le pistait, il le traquait. Mais jamais il ne lui reprendrait la fille. Fontemps le tuerait avant.

Et elle aussi, s'il le fallait.

Il poussa Blandine devant lui, la forçant à entrer dans le plus grand des bâtiments de l'esplanade : la galerie des machines. L'endroit était désert. L'ensemble des pavillons ne serait ouvert au public qu'une fois l'inauguration terminée. En contemplant les lieux, une bouffée de contentement envahit l'assassin. Maintenant l'enfant pouvait venir. Il l'attendait, aussi sereinement qu'une araignée guettant un insecte.

# 29
# Guet-apens

La galerie des machines était un gigantesque bâtiment de verre et d'acier mesurant plus de quatre cents mètres de long. Sa voûte en arc brisé lui conférait de faux airs de cathédrale gothique. Pierrot pénétra dans la première de ses multiples salles. Fontemps venait de s'y engouffrer, contraignant Blandine à le suivre.

La pièce était immense. Autour d'un couloir central se profilaient des dizaines d'engins, calés entre les poutrelles de fer soutenant la construction. Des rouages dantesques — mesurant au moins trois ou quatre mètres de haut — semblaient surgir des entrailles de l'édifice. Pierrot aurait été bien incapable de dire à quoi ils servaient.

Soudain, un bourdonnement sourd emplit la salle. Le sol se mit à trembler sous ses pieds. Des vibrations remontèrent de ses jambes jusqu'à ses épaules. Autour de lui, toutes les machines se mirent en branle. Soit l'Ogre savait comment actionner les mécanismes, soit ils n'étaient pas seuls dans le pharaonique hangar. Les nombreux appareils fumaient et grinçaient de toutes les manières possibles et imaginables.

Un éclair zébra un des piliers sur la gauche du gamin. Puis un second, plus près. Dans un premier temps, Pierrot crut à un effet d'optique. Il comprit vite qu'on lui tirait dessus. Le vacarme produit par les roues dentées et les diverses mécaniques avait couvert les détonations.

Devant lui, deux nouveaux projectiles frappèrent l'un après l'autre le sol. Sans attendre son reste, Pierrot déguerpit. Sautant par-dessus un des garde-fous qui couraient le long de l'allée, il n'eut que le temps de se planquer derrière la première machine venue : plusieurs coups de feu claquèrent, mouchetant le corps de tôle de sa cachette.

Six fois de suite, le revolver avait craché son chargement mortel. L'Ogre avait-il prévu des munitions supplémentaires ? Impossible à dire.

Pierrot décida de tenter sa chance. Il traversa le hall à toute vitesse, zigzaguant entre les installations afin de compliquer la tâche du tireur. La fusillade reprit. Fontemps était un homme prévoyant. Des étincelles jaillissaient de partout. On célébrait le 14 juillet avant l'heure ! Un véritable feu d'artifice...

Une nouvelle pause. Fontemps devait recharger son arme. Pierrot en profita pour tenter de repérer son agresseur. La vaste étendue de la salle ne s'y prêtait pas vraiment. Il orienta son regard vers le sommet du bâtiment. S'il s'était trouvé à la place de l'Ogre, le garçon se serait sûrement posté sur la coursive qui faisait le tour du hangar. De là, on disposait d'une vue dégagée.

Il avait vu juste. La silhouette de l'Ogre se détachait à contre-jour, noire et menaçante. Il tenait Blandine par les cheveux. Elle en avait perdu son chapeau.

Bang! C'était reparti.

Pierrot décampa, sautant comme un cabri au-dessus des câbles. Pas le temps de réfléchir, juste d'agir. Il devait d'urgence trouver une porte de sortie. Là-bas, on discernait une ouverture. Elle menait peut-être vers d'autres salles? Des pas résonnèrent sur la passerelle au-dessus de sa tête. L'Ogre était à ses trousses!

Bang! L'assassin se trouvait maintenant au même niveau que l'enfant. La balle lui frôla le crâne avant de s'encastrer dans un des montants de la porte. Pierrot s'engouffra dans l'ouverture et s'engagea dans un corridor étroit et sombre. Plusieurs autres couloirs le croisaient, composant un labyrinthe digne de celui de Dédale. Au bout de quelques secondes, il changea de direction, obliquant cette fois vers la droite. Le chemin s'élargissait. Il devenait aussi plus lumineux.

Le garçon finit par aboutir sur un large salon hexagonal. Chacun de ses six côtés était revêtu d'immenses miroirs. Éclairés par des guirlandes électriques et des girandoles d'où dégringolaient des pendeloques de cristal, ils renvoyaient inlassablement les images des colonnes et des arches qui ornaient la pièce, donnant l'illusion de multiples salles s'emboîtant les unes dans les autres.

Pierrot eut un sursaut d'effroi. L'Ogre l'avait pisté ! Son sourire carnassier s'étirait comme une promesse de mort sur les miroirs. L'homme, une lueur de folie dans le regard, pointait son arme droit sur l'enfant. Ce n'était pas le reflet de Fontemps que Pierrot contemplait, mais bien celui de dix, non, de cent Fontemps ! Impossible de déterminer lequel était le bon. La balle partit, brisant une des glaces se situant à cinq ou six mètres à sa droite. Heureusement pour Pierrot, son reflet aussi se trouvait démultiplié à l'infini. L'Ogre avait mal choisi sa cible.

Les miroirs explosèrent tour à tour, dans un fracas assourdissant. Fontemps tirait au hasard, se défoulant avec férocité sur les figures innombrables du gamin. Des éclats volèrent un peu partout. Pierrot se coucha à terre, protégeant sa tête de ses mains. Les parois éclatèrent en mille morceaux, le couvrant de débris de verre.

Étonné d'être encore en vie, le petit brun redressa son buste aussi prudemment qu'une tortue s'extirpant de sa carapace. Il sentit alors le canon d'un revolver s'insinuer dans le creux de sa nuque.

« On ne peut pas gagner à tous les coups », se dit-il pour se consoler, fataliste.

— Allez, debout, lui intima l'Ogre, fini de rigoler.

L'assassin les poussa, Blandine et lui, vers la sortie. Pierrot en profita pour prendre la main de la jeune femme dans la sienne. Un simple contact qui en disait plus long que les mots. Après quinze ou vingt mètres de couloirs, les prisonniers débouchèrent dans la plus stupéfiante des arènes. Le lieu semblait capable d'accueillir des milliers de personnes. Une pluie de lumière filtrait au travers d'une coupole démesurée. Un homme se trouvait là. Il portait une casquette et une blouse de travail. Un ouvrier de la maintenance. C'était à n'en pas douter ce gaillard qui avait déclenché la mise en route des machines, et non l'Ogre. Le bonhomme semblait aussi surpris qu'ils l'étaient eux-mêmes. Il s'avança, l'air mécontent, tenant d'une main une clé anglaise et de l'autre le goulot d'une bouteille d'eau d'aff.

— Vous pouvez pas rester ici, les tança-t-il, c'est interdit, la salle des fêtes n'est pas autorisée au public, pas avant demain.

Il y avait quelque chose de familier dans sa démarche, mais Pierrot n'arrivait pas à mettre le doigt dessus. L'ouvrier s'envoya une lampée de sa boisson. Il était assez jeune, une vingtaine d'années, pas plus.

Fontemps, affable, s'excusa :

— Désolé, mon brave. Je l'ignorais. C'est que, vous comprenez, ma nièce et mon neveu ne sont là que pour quelques jours. Ils sont de passage.

Son interlocuteur opina, visiblement agacé. Il voyait bien qu'on cherchait à l'amadouer.

— C'est bien joli tout ça, mais il faut décamper ou j'appelle les cognes. Vu ?

L'ouvrier contempla le petit groupe si mal assorti. Ce gamin en haillons et ce rupin si bien habillé. Bizarre.

Il s'étonna aussi de la pâleur de Blandine et des tremblements qui l'agitaient.

— Ça va, mademoiselle ? s'enquit-il.

— Oui, tout va pour le mieux, coupa Fontemps.
J'ai ici une pièce de vingt francs pour le dérangement,
ajouta-t-il en fouillant dans la poche de son gilet.

Oubliant la jeune femme, le type se montra tout
de suite très intéressé. Après tout, il n'était pas médecin. Si la fille était malade, ça les regardait, elle et son
oncle. Il devint plus aimable :

— C'est trop gentil, monsieur, prenez donc le
temps d'admirer les lieux, fit-il, obséquieux.

L'ouvrier était hypnotisé par la pièce que lui présentait l'Ogre dans le creux de sa paume. Il en oublia de
regarder l'autre main du bourgeois.

— Attention ! hurla Pierrot, alors que l'assassin
faisait feu.

L'homme plongea de côté. Le projectile fit voler sa
bouteille en éclats :

— Ma boutanche ! s'exclama-t-il. Ah non, pas
encore !

Son visage s'empourpra. C'est à cet instant que
Pierrot le reconnut. Le type du bonneteau ! Ça alors !

L'ouvrier lança sa clé anglaise en direction de
Fontemps. L'outil de métal l'atteignit en pleine tête.
L'Ogre chancela, sonné. Le bonhomme en profita pour
lui bondir dessus. Mais le bourgeois réagit promptement et abattit la crosse de son revolver sur la tempe
de son assaillant. L'ouvrier tomba au sol, inconscient.

Mais ces quelques secondes avaient suffi à Pierrot et à Blandine pour prendre la poudre d'escampette. Ils traversèrent en coup de vent la salle de la coupole avant de retomber sur un embrouillamini de couloirs et d'allées.

«Toutes les routes mènent à Rome!» se dit le garçon, se fiant à son instinct. Il ne s'était pas trompé : encore quelques mètres et ils débouchèrent enfin à l'air libre. Pas le temps de lambiner. L'Ogre n'était pas loin derrière.

# 30
## Course poursuite

EN DÉBOULANT sur le Champ-de-Mars en compagnie de Blandine, Pierrot eut un choc. L'esplanade était vide. La foule avait déserté les lieux. Plus de traces de la troupe de cuirassiers qu'il avait espéré trouver là. Les militaires escortaient le chef de l'État jusqu'au pont d'Iéna où il devait embarquer sur un bateau. Le président Loubet regagnerait ainsi la sortie de la foire par la Seine, saluant les badauds depuis son embarcation.

Aucun espoir de ce côté. L'Ogre était sur leurs talons. Ils seraient morts avant d'avoir pu atteindre une issue.

— Par ici ! cria Pierrot en entraînant son amie dans la direction opposée.

— Mais les soldats sont là-bas, dit-elle en désignant les jambes de la tour Eiffel.

Trop tard ! L'assassin sortait du grand bâtiment de verre, le revolver à la main. Ses yeux de dément roulaient dans ses orbites comme des billes lancées dans une roulette de casino. Il regardait de tous côtés, cherchant les fugitifs.

— On n'y arrivera pas, cria Pierrot, il faut grimper, viens !

Le gamin tira la jeune fille en direction d'un escalier qui s'élevait vers une drôle de bicoque à la forme excentrique. Son toit pointu rappelait les pagodes chinoises.

— Qu'est-ce que c'est ? l'interrogea Blandine.

— Une gare du trottoir roulant, souffla Pierrot.

Ils gravirent les marches quatre à quatre. S'ils faisaient vite, ils atteindraient le pont d'Iéna en même temps que le cortège. L'escorte du président les tirerait alors d'affaire. Du moins, c'était ce qu'espérait Pierrot. Pour le moment, Fontemps ne les avait pas encore repérés. Ils disposaient d'une courte longueur d'avance.

La plate-forme était déserte.

— On se lance ? demanda-t-il à Blandine en accompagnant sa question d'un sourire qui se voulait engageant.

La jeune blanchisseuse observa d'un œil méfiant l'assemblage de planches de bois défilant sous ses yeux. Des barres métalliques étaient prévues pour permettre aux voyageurs de garder l'équilibre.

— On a le choix ? lui répondit-elle avec une grimace.

— Pas vraiment. Très bien, à trois : un, deux... compta le petit brun.

— Trois ! termina Blandine en prenant son élan.

Pierrot suivit le mouvement. C'était comme... prendre un train en marche. Ses bras battant l'air, le gamin attrapa une des barres, aussitôt imité par Blandine. Ils se déplaçaient à présent à une vitesse appréciable, côtoyant la cime des arbres et les globes opaques des réverbères. Mais ils n'étaient pas pour autant sortis d'affaire. L'Ogre déboucha en haut des escaliers moins d'une minute après eux. Sans hésitation, il bondit à son tour sur le trottoir roulant. Des balles fusèrent aussitôt aux oreilles des fugitifs, se perdant dans les branchages. Fontemps, bien déterminé à abattre ses proies, ne lésinait pas sur les munitions.

Pierrot se plaça derrière Blandine, la protégeant maladroitement de son corps fluet.

— Il faut courir, allez ! hurla-t-il.

La jeune fille souleva ses jupons. La structure vibrait dangereusement et chaque enjambée était périlleuse. Fontemps, étonnamment alerte pour ses soixante printemps, s'était lancé à leur poursuite. Il sprintait comme un athlète sans cesser de presser la détente de son arme. Par chance, sa course effrénée et les trépidations de la machine l'empêchaient d'ajuster son tir. Le globe d'un pendu glacé éclata juste au-dessus de leurs têtes, arrachant un cri à Blandine.

Le pont d'Iéna leur apparut enfin. Pierrot reprit espoir. Il distinguait le président qui traversait l'édifice. Un bateau l'attendait rive droite. Les cuirassiers surveillaient les abords du cortège officiel, fusil à la main, prêts à faire feu au moindre geste suspect. Jamais Pierrot n'avait été aussi content de voir des représentants des forces de l'ordre !

Encore cent mètres, quatre-vingts, cinquante... ils y étaient presque. La barbichette blanche de Loubet se détachait nettement au milieu des austères costumes noirs. Le gamin jeta un rapide coup d'œil à leur poursuivant. L'Ogre montrait enfin des signes de fatigue. Il avait ralenti son allure et soufflait comme un tuberculeux. C'était gagné !

C'est alors que Blandine tomba.

Fontemps exultait ! Alors qu'il pensait la partie jouée, la fille s'était subitement effondrée. Le garçon essayait de la relever. L'Ogre cala six nouvelles balles dans le barillet de son revolver, humant l'odeur de la poudre chaude. Il respirait avec difficulté. Cette course poursuite l'avait épuisé. Mais l'occasion était trop belle. Il décida de jeter ses ultimes forces dans la bataille. Après tout, c'était son jour de gloire ! Éclatant d'un rire hystérique, il fonça tête baissée, prêt à donner le coup de grâce.

Le pied de Blandine était resté coincé entre deux plaques de bois. Stoppée dans son élan, elle s'était affalée. Pierrot tentait de la dégager de ce piège, mais rien n'y faisait. Il n'osait pas lever les yeux. Une seule pensée l'habitait :

*L'Ogre arrive !*

Le trottoir roulant dépassait le pont d'Iéna. Trop tard. Le président voguait déjà vers le pont Alexandre III, accompagné de sa garde de cuirassiers. Pourtant, Pierrot ne s'avouait pas battu, même si la ritournelle d'angoisse revenait sans cesse dans son esprit :

*L'Ogre arrive !*

Il délogea l'une des barres métalliques de son logement et l'utilisa pour tenter d'écarter les planches qui retenaient Blandine prisonnière. Le bois grinça, mais ne céda pas. Il s'acharna, poussant de tout son poids sur le levier improvisé. Une latte commença à se soulever. Ça y était. Encore un dernier effort.

Une gifle magistrale envoya Pierrot valdinguer en arrière. Fontemps braqua son revolver sur le visage de Blandine. Un rictus inhumain déformait ses traits. Il arma le chien. Clac. Le bruit retentit comme un glas funèbre. Il visa soigneusement le front de la jeune fille. Blandine lut sur ses lèvres les mots qu'il chuchota :

— Au revoir, Mathilde.

*Mathilde ?*

Un cri de douleur s'éleva.

Pierrot avait bloqué le bras de l'Ogre et lui mordait la main. Jusqu'au sang. L'homme lâcha son revolver et assena un violent coup de poing au garçon pour le faire lâcher prise. Ses mâchoires s'entrechoquèrent. Malgré sa ténacité, le gamin n'était pas de taille. Il s'effondra, groggy.

Fontemps n'envisageait pas de le laisser s'en tirer à si bon compte. Il empoigna Pierrot par le col et le souleva. Le plaquant contre la coursive, il commença à l'étrangler. Au même instant, le trottoir roulant entama un virage : un paysage flou défilait sous les yeux du garçon qui luttait pour rester conscient. La bouche grande ouverte, il cherchait désespérément l'air qu'on lui refusait.

Toujours prisonnière du trottoir, Blandine paniquait. S'étirant au maximum, elle agrippa la jambe de Fontemps. Inutile tentative. Celui-ci se dégagea sans même la regarder. En guise de punition, il lui broya rageusement les doigts sous sa semelle.

Pierrot se sentait trop faible pour résister plus longtemps. Il lança un dernier regard vers Blandine, qui soufflait sur ses phalanges meurtries. Lui mort, personne ne pourrait plus l'aider.

*Pardon*, disait-il dans le message silencieux qu'il lui adressait. *Pardon.*

Un sifflement aigu et continu vrilla soudain ses tympans. Était-ce le signe précurseur de son départ pour le Ciel ?

Le train électrique ! Il roulait à pleine vitesse dans leur direction. Le trottoir et la voie ferrée se croisaient un peu plus loin, au niveau du pont Alexandre III. À cet endroit, les rails passaient entre les pieds de la plateforme, dix mètres en contrebas.

Fontemps aussi remarqua la locomotive, et cela lui donna une idée. Il hissa Pierrot sur la balustrade. Le gamin vit arriver les wagons. Ils progressaient rapidement, traînés par la voiture de tête. Le parechoc de la locomotive grossissait, encore et encore.

Plus que quelques secondes et il ne serait plus de ce monde.

Bang ! Une détonation. L'Ogre eut l'air étonné. Libérant Pierrot, ses mains se crispèrent sur sa poitrine. Un filet de sang coulait sur son menton. Après avoir effectué un burlesque demi-tour sur lui-même, il bascula par-dessus bord. Le train le percuta de plein fouet, charriant son cadavre sur plusieurs mètres avant de l'expulser vers la Seine dès le premier virage.

Le visage de Feuillade finit par apparaître à travers un nuage de poudre noire. Collé à ses basques, le Verveur l'accompagnait. Le policier sourit à Pierrot. À demi-mort, mais soulagé, le gamin lui rendit la pareille.

Des agents de ville déboulèrent de partout. Après avoir délivré Blandine de son étau de planches, ils l'aidèrent à se remettre sur ses jambes.

Soudain, un cri retentit, trahissant une épouvante non feinte. Le corps désarticulé de Fontemps avait terminé son voyage sur le pont avant du bateau du président. C'en était fini de l'Ogre.

« Quelle magnifique inauguration », ironisa Pierrot en son for intérieur.

# 31
## Le fin mot de l'histoire

Chez Gudule, c'était jour de fête. On avait mis les petits plats dans les grands. Les tables avaient été assemblées, comme pour un banquet. Et en réalité, c'en était un, même si on ne dénombrait que sept convives : trois adultes et quatre enfants. Outre Feuillade, Blandine et le Chauffeur, Pierrot et ses aminches étaient bien entendu de la partie. C'était la patronne qui assurait le service, aidée de son poivrot de mari.

L'alcoolique avait échappé à la justice. La tenancière l'avait sévèrement tancé pour son comportement irresponsable avant d'aller plaider sa cause auprès de Feuillade. Compte tenu du fait qu'il n'était pour rien dans la disparition des filles, l'inspecteur lui avait accordé sa clémence. Le soûlard avait des circonstances atténuantes : son casier était vierge et il avait promis de faire amende honorable. Les achats douteux de bidoche avariée, c'était bien fini. Il jura ses grands dieux qu'on ne l'y reprendrait plus.

Les membres de la petite assemblée mangeaient et buvaient avec entrain, célébrant la fin de l'Ogre et le retour à une vie normale. Fraîchement innocenté des crimes qu'on lui reprochait, Marcelin profitait de sa liberté retrouvée. Il participait aux réjouissances, riant de bon cœur à toutes les plaisanteries. Pour leur part, Pierrot, le Verveur, Crincrin et Goupil dévoraient tout ce qui leur passait sous la dent. Les gamins étaient les héros du jour. Après tout, ils avaient vaincu l'Ogre de la Couronne !

Les blessures de Pierrot guérissaient peu à peu, et si le rouquin avait encore un peu la tronche de travers, il était sorti de l'hôpital. De nouveau sur pied, il provoquait l'hilarité générale :

— Alors l'Ogre, il bouffait les filles ? lâcha-t-il avec naïveté.

L'inspecteur, qui portait à ce moment précis son verre à la bouche, manqua de s'étouffer et retint de son mieux le liquide qui menaçait de s'échapper par son nez crochu. N'en pouvant plus, il s'esclaffa.

— Tu n'y es pas, petit, dit-il en tentant de reprendre son sérieux, le trafic de viande n'était qu'un moyen pour lui de dissimuler ses activités meurtrières. Cela lui permettait de faire disparaître les corps. Pas de cadavres, pas de crimes : ni vu ni connu. Une fois débitées en morceaux, ces demoiselles allaient alimenter le marché des abattoirs. Elles étaient servies en bavette et en aloyaux dans toutes les gargotes d'ici à la Villette.

D'ailleurs, tu as peut-être englouti un de ces steaks de jeune fille, et sans même le savoir.

En entendant les explications du policier, Goupil verdit. Tout à coup, il n'avait plus faim. Mais alors, plus du tout ! Blandine elle-même ne se sentait pas dans son assiette. Son visage gardait encore les stigmates de sa rencontre avec l'assassin. Quelques hématomes qui disparaîtraient bientôt.

— Vous l'avez échappé belle, ma jolie, souligna Feuillade à son intention.

La lavandière déglutit et lança :

— Mais pourquoi toute cette haine ? Ces femmes... elles étaient si jeunes, si innocentes.

Elle dut se retenir pour ne pas fondre en larmes. Les heures passées dans la cave de Fontemps revenaient la hanter comme autant de fantômes hideux.

— Pas à ses yeux, répliqua Feuillade en déposant une photo sur la table. Regardez plutôt.

Il jubilait. La photographie était un peu jaunie, mais on distinguait la silhouette élégante d'une magnifique jeune femme blonde. Elle portait une robe que Blandine reconnut sur-le-champ. La voilette de son chapeau était relevée, dévoilant un visage aux traits fins et gracieux.

— Mais c'est toi ! s'exclama le Chauffeur.

— Non... elle ne me ressemble pas vraiment, se récria Blandine, pourtant subjuguée par le portrait.

— Tu plaisantes, on dirait ta sœur jumelle, ajouta Pierrot.

L'inspecteur divisionnaire trancha :

— Il s'agit de Mathilde Fontemps, l'épouse de l'Ogre. Elle est décédée il y a de cela onze ans. Je pense que Mademoiselle Trochard aura identifié sa toilette.

Blandine opina : elle reconnaissait la robe que l'assassin l'avait forcée à endosser.

— Une morte ? s'enquit le Verveur.

— Oui. Elle a été assassinée.

La révélation fit son petit effet.

— On a retrouvé son crâne chez Fontemps, poursuivit la cogne, je veux dire dans sa demeure officielle et pas dans le taudis qu'il occupait pour accomplir ses méfaits. La tête de mort était disposée sur une sorte d'autel, avec bougies, encens, crucifix et tout le toutim. Une vraie chapelle.

— Comme celles de Victorine et d'Huguette, alors ? s'ébahit le Verveur

— Sauf que les crânes des deux autres étaient juste posés sur la cheminée et pas vénérés comme des bondieuseries, précisa Pierrot.

— La femme de Fontemps a donc été la première victime de l'Ogre ? supposa Marcelin.

Avant de répondre, Feuillade prit le temps de sortir un cigare de sa poche et de l'allumer. Il tenait son auditoire en haleine.

— Il semblerait. Gustave Fontemps l'avait épousée en 1887. À cette époque, l'Ogre ne pensait alors qu'à sa réussite professionnelle. Mais s'il était obsédé par la modernité, il restait très religieux. Mathilde faisait partie des employées que, déjà, il cherchait à ramener dans le « droit chemin ». Peu à peu, il est tombé amoureux de la fille, jusqu'à lui demander sa main. Il pensait pouvoir la sauver de la misère. La fiancée, elle, y a vu sa fortune faite, même si le bonhomme avait plus du double de son âge.

— Il s'est marié à une ouvrière ? questionna Pierrot, surpris.

— Oui. Elle avait tout juste vingt ans. Mais mal lui en prit. La gamine était une coureuse. Chaque soir elle découchait, passant de bar en bar, et des bras d'un homme à ceux d'un autre. Fontemps était fou de jalousie. Pour un notable de son importance, et aussi fervent que lui, ce comportement de débauchée était insupportable. La honte s'abattit sur sa maison. Il en négligea ses affaires. Il laissa même échapper l'occasion de participer à l'Exposition universelle de 1889. Cela le rongeait comme un poison. Il se mit à nourrir une passion teintée de haine pour celle qui partageait sa vie.

Tous fixaient intensément le policier, attendant avec impatience la suite de son récit. L'inspecteur lâcha quelques ronds de fumée. Des volutes blanchâtres s'élevèrent dans les airs. N'y tenant plus, Crincrin s'en mêla, bien décidé à donner son opinion sur la question.

— Ben, y z'étaient pas clairs ces deux-là, c'est moi qui vous l' dis.

— Tu as raison, mon garçon, confirma Feuillade, de drôles d'oiseaux, c'est certain.

— Et comment cela s'est-il fini ? s'impatienta Blandine.

La jeune fille avait besoin de comprendre, pour faire la paix avec elle-même et enfin chasser les démons qui l'habitaient depuis sa terrifiante expérience entre les griffes de l'Ogre.

— Un beau jour, la femme de Fontemps disparut mystérieusement. L'enquête de police conclut qu'elle avait certainement, compte tenu de ses fréquentations, fait une mauvaise rencontre. Chacun compatit au sort du veuf éploré, et l'honorable bourgeois s'en tira sans être inquiété le moins du monde.

— Pourquoi l'Ogre a-t-il attendu aussi longtemps avant de tuer à nouveau ? s'étonna le Chauffeur.

— Je pense que toute cette effervescence autour de la nouvelle Exposition universelle l'a ramené onze ans en arrière, faisant ressurgir ses vieux démons. Il s'en est alors pris à de jeunes femmes blondes qui lui rappelaient son amour maudit. Quand il s'attaquait à ces filles délurées, c'était Mathilde qu'il voyait. Peut-être cherchait-il à la remplacer sans jamais y parvenir ? En tout cas, l'étonnante ressemblance de Blandine avec son épouse a sans doute contribué à le faire sombrer dans la folie.

La dernière phrase de l'inspecteur plongea le groupe dans un abîme de réflexion. Personne n'osait briser le silence que sa conclusion avait fait naître. Blandine encaissait le choc de sa possible responsabilité. Elle se remémora le cauchemar qu'elle avait fait la nuit de son enlèvement, celui où apparaissait une créature hybride. Un loup déguisé en agneau.

Comme l'Ogre lui-même.

Marcelin la prit dans ses bras, couvrant son visage de baisers afin de la réconforter.

« Pour chaque catastrophe, il y a un bonheur, c'est sans doute ça la vie », songea Pierrot. Il n'éprouvait pas d'amertume. Plus aucun pincement au cœur. Au contraire. Il était content d'être là, vivant, profitant de l'instant présent.

— Que vont devenir les complices de l'Ogre, Rombaldi, Bouffe-Cailloux et les trois autres voyous ? finit-il par demander.

— Rombaldi va croupir un moment en prison, répondit Feuillade, mais moins longtemps que la bande à Bouffe-Cailloux. Ceux-là sont bons pour aller casser des cailloux au bagne de Cayenne.

— Vous n'êtes pas triste pour Rombaldi ? C'était votre ami.

— Je lui apporterai des oranges, dit Hubert Feuillade avec ironie.

Pierrot le dévisagea. Le policier n'était pas un personnage facile à cerner. Le gamin ne savait pas trop s'il plaisantait ou s'il était sérieux.

— Et le type de la galerie des machines ? Il faudra le remercier.

— Ah ! lui ? On lui a fait livrer une caisse de bouteilles d'eau-de-vie en récompense de son acte de bravoure, rigola le policier. Un dénommé Joseph Pleigneur... inconnu au bataillon[11].

---

11. Joseph Pleigneur deviendra célèbre deux ans plus tard, en 1902, sous le surnom de Manda. Il poignardera son rival pour les beaux yeux d'Amélie Hélie, la fameuse Casque d'Or.

Feuillade se leva et écrasa son mégot dans son assiette.

— Je dois vous quitter, dit-il simplement, le travail... Je t'ai toujours à l'œil, Chauffeur, ajouta-t-il en quittant la table.

On ne se débarrassait pas si facilement des vieilles habitudes ! Son instinct de prédateur reprenait le dessus. Mais le sourire qui accompagnait sa remarque laissait entendre que les anciennes rancunes étaient oubliées. Tant que Paul Marcelin ne ferait pas de faux pas, bien entendu.

L'inspecteur divisionnaire salua la compagnie, coiffa son chapeau melon et sortit du bistrot en sifflotant.

L'affaire était close.

## Épilogue
# Paris, juillet 1900

C'ÉTAIT UNE BELLE JOURNÉE D'ÉTÉ. Le soleil brillait dans un ciel sans nuage. Il illuminait de ses rayons les toits du passage Josset, faisant miroiter les tuiles. La chaleur, étouffante, transformait la petite rue parisienne en une véritable étuve.

Pierrot s'activait à charger des pièces de bois sur une brouette, les transportant ensuite jusqu'au cœur de l'atelier. Il travaillait depuis maintenant plus de deux mois dans la scierie à vapeur Maubert. Le Chauffeur l'avait pris sous son aile ; il en était heureux. Il aimait tout dans ce métier, l'odeur de la sciure, le bruit des machines, la solidarité entre les ouvriers... Peu à peu, il en apprenait les ficelles.

D'une certaine façon, l'Ogre avait eu raison : la modernité avait du bon. Tant qu'elle n'oubliait pas les hommes derrière les machines, tant qu'ils n'étaient pas de simples rouages dans l'engrenage, remplaçables à volonté.

Il s'arrêta un instant pour s'essuyer le front dégoulinant de sueur, puis se remit au travail. Ce serait bientôt l'heure de la pause. Blandine viendrait les rejoindre, Marcelin et lui, pour partager leur repas. Un moment magique, comme tous les jours.

Le Chauffeur et la jeune fille s'étaient mariés au début du mois. Pierrot vivait avec eux dans un petit deux-pièces : ils l'avaient en quelque sorte adopté. Goupil leur rendait régulièrement visite ; le petit brun était sûr qu'il finirait par s'installer avec eux. Il était même prévu qu'il fît un essai à la scierie, la semaine suivante. Pour le Verveur, c'était différent : il avait toujours aimé son indépendance. Dans la Zone, il ne partageait pas leur taudis, préférant faire bande à part. Aujourd'hui, il continuait à crier ses journaux et à arnaquer les pigeons au bonneteau, tout comme Crincrin poursuivait ses livraisons de charbon.

Une jolie blonde en robe à carreaux se présenta à la porte. À son bras pendait un panier d'osier recouvert d'un torchon.

C'était vraiment une belle journée.

FIN

# Paris en 1900
par Jean-Guillaume Féret

« Le xixᵉ siècle a été le grand siècle du progrès. Pour fêter les prodiges des arts, des sciences, de l'industrie et de l'agriculture, la France invita toutes les nations à participer à l'Exposition universelle qu'elle organisait à Paris. Toutes répondirent à cette invitation ; elles tenaient à comparer les progrès de leur industrie avec ceux des autres nations. L'Exposition de 1900 fut une merveille. Le Champ-de-Mars avait son château d'eau et ses fontaines lumineuses qui, le soir, transformaient cette partie de l'Exposition en une véritable féerie, les quais de la rive gauche de la Seine étaient occupés par les palais des nations, chacun dans son architecture nationale. »

Jeanne Bouvier (1865-1964), *Mes mémoires*, éditions Marcineau, Poitiers, 1936

**La transformation de Paris**

Sous le Second Empire (1852-1870), Paris a connu une transformation presque totale, qui lui a donné son visage actuel. D'une cité à la structure médiévale, quasiment dépourvue de grands axes de circulations, aux constructions anciennes et insalubres, naît en moins de vingt ans l'une des villes les plus modernes du monde. Napoléon III, inspiré par son passage à Londres, soucieux d'améliorer les conditions de vie du peuple mais aussi d'assurer la rapidité de la répression en cas d'émeute, lance de grands travaux dans la capitale : ils dureront de 1853 à 1869. C'est le préfet de la Seine, le baron Georges Haussmann, qui est chargé de cette métamorphose : Paris sera désormais adaptée aux transports modernes, assainie et aérée de parcs.

Haussmann fait détruire les vieux quartiers médiévaux du centre de la ville et crée de grandes avenues. Contrairement à Napoléon III, qui finance la création de plusieurs cités ouvrières, Haussmann ne se préoccupe pas des logements populaires. Son objectif est de faire de Paris une capitale moderne, dont le rayonnement fascinera le monde entier. Il fait aménager la ligne ferroviaire de Petite Ceinture, de nouveaux réseaux d'eau potable et d'égouts, 2000 hectares de parcs et de jardins (bois de Boulogne et de Vincennes, squares des Buttes-Chaumont et de Montsouris, etc.), des théâtres, l'opéra Garnier, des hôpitaux, des mairies, les Halles centrales...

Paris atteint alors les fortifications construites par Thiers en 1845, annexant en 1860 les communes périphériques comme Auteuil, les Batignolles, La Villette, Charonne, etc. Haussmann crée l'actuelle division administrative en 20 arrondissements, n'oubliant pas de couper en deux les quartiers « à risque » comme Belleville et la Villette. Ces quartiers périphériques, encore ruraux, voient arriver les ouvriers chassés des arrondissements centraux par l'augmentation des loyers. Paris double sa superficie, passant de 3200 à 7000 hectares, et de 12 à 20 arrondissements.

En 1870, la guerre franco-prussienne, l'arrestation de l'empereur et la proclamation de la République marquent, avec la fin du Second Empire, une pause dans l'expansion parisienne. Le siège de Paris, qui dure un an, et la capitulation de Sedan provoquent l'insurrection de la Commune, une révolte d'inspiration socialiste et ouvrière. Les communards incendient de nombreux monuments, comme l'Hôtel de Ville et le château des Tuileries, avant d'être écrasés militairement par Adolphe Thiers, chef du gouvernement, au cours de ce qu'on appellera la Semaine sanglante de mai, qui reste à ce jour la dernière guerre civile en France.

À la fin du siècle, avec l'instauration de la Troisième République, les travaux reprennent, rythmés par les Expositions universelles de 1889 et de 1900. Le Sacré-Cœur, le Grand et le Petit Palais, la tour Eiffel, sortent de terre : la première ligne de métro voit le jour en 1900, année qui symbolise la réalisation du rêve de

Napoléon III. Paris est devenue ce qu'on appelle une « ville-monde », une ville qui rayonne, la capitale de la culture et du savoir-vivre, où nombre d'écrivains et de peintres, comme Picasso ou Matisse, puiseront leur inspiration.

## L'année 1900

En 1900, Paris intramuros compte un peu moins de 3 millions d'habitants, un record inégalé, et s'apprête à entrer dans la cour des « Grandes » en accueillant l'Exposition universelle de 1900. Plus de 50 millions de visiteurs se rendront à Paris cette année-là. Plus que la France ne comptait alors d'habitants ! Plus de 400 hectares occupés, 112 pavillons installés entre le Champ-de-Mars et l'esplanade des Invalides, 76 000 exposants, dont 40 000 étrangers. Une manifestation sans précédent, qui mobilise toute la population française. Les bureaux de poste et les bureaux de tabac, dans toute la France, vendent des tickets d'entrée. Des hôtels poussent aux quatre coins de Paris et les compagnies de chemins de fer se réjouissent d'une affluence record de 30 millions de voyageurs pour la seule période de l'Exposition. La gare d'Orsay a d'ailleurs été aménagée de toute urgence à la porte de l'Exposition.

C'est un succès immense, qui propulse la capitale française à la une de tous les journaux du monde en raison de son architecture, de sa culture, de son empire colonial, mais aussi de ses progrès techniques et industriels. Paris est devenue un important centre industriel dans les domaines automobile et aéronautique, avec les usines Peugeot et Citroën, et les ateliers Louis Blériot. La France achève sa deuxième révolution industrielle, favorisée depuis 1870 par une longue période de paix.

Durant ces années, des avancées considérables sont réalisées en chimie, en électronique, en sidérurgie, en médecine. L'hygiène s'améliore, ce qui se ressent sur la mortalité infantile et l'espérance de vie. La France s'équipe en électricité, la bicyclette remplace le vélocipède, les frères Lumière inventent le cinématographe et, en 1895, on projette à Paris le premier film de l'histoire. Les modes de vie sont complètement bouleversés par ces nombreuses innovations. On se dirige peu à peu vers une société où le confort va devenir la norme.

En marge de l'Exposition universelle se tiennent les deuxièmes Jeux olympiques de l'ère moderne. Dans la confusion la plus totale, 1225 athlètes de 24 pays s'affrontent pendant 5 mois. Autre touche de modernité, les femmes sont pour la première fois admises à participer aux épreuves ! Ainsi, la Britannique Charlotte Cooper devient la première championne olympique de l'histoire en s'imposant face à la Française Hélène Prévost en finale de l'épreuve de tennis.

## L'autre « Belle Époque »

Cette période, de 1870 à 1914, a été baptisée à posteriori la « Belle Époque ». Après le grand traumatisme de la Première Guerre mondiale (1914-1918), elle apparaissait aux nostalgiques comme un âge d'or. Âge d'or en effet, si on oublie la réalité de la rue, les inégalités et la Zone. Car aux nouvelles avenues du centre-ville s'opposent les ruelles escarpées des quartiers périphériques, la « ceinture noire » de Paris, qui tient son nom du manque d'éclairage et de tranquillité de ses rues.

Chassés du centre par les travaux d'Haussmann et l'augmentation des prix de l'immobilier, des milliers de Parisiens, principalement des ouvriers et des artisans, se réfugient dans cette zone occupée alors par les chiffonniers et les bohémiens, et s'installent dans des cabanes de fortune, attendant une aide de l'État pour se reloger à Paris ou même en province. Naît alors une communauté mi-urbaine, mi-rurale, où se côtoient ouvriers, artistes et voyous attirés par la quiétude du lieu, où la police n'ose pas trop s'aventurer. Cette zone de 250 mètres de large, qui fait le tour de Paris, se dote alors de ses commerces et guinguettes sans licence où l'on boit pour pas cher.

Insalubrité, faible croissance démographique et économique, hygiène déplorable, chômage, alcoolisme : les conditions sont réunies pour tous les dérapages. La Zone est un endroit sale, sans lumière ni protection policière. Les incidents nocturnes alimentent régulièrement les faits divers des quotidiens. Les « Apaches », qui tiennent leur nom de l'utilisation du « surin », donnent aux boulevards extérieurs et à leurs ruelles une réputation de coupe-gorge. Ce sont des bandes d'adolescents qui sèment la terreur dans les quartiers excentrés tels que Belleville, Ménilmontant, Charonne et la Villette.

On les appelle la bande des Quatre-Chemins d'Aubervilliers, les Loups de la Butte, les Monte-en-l'air des Batignolles... Ils portent généralement des signes distinctifs : habit noir, cravate verte ou béret rouge. Proxénètes, ravisseurs, braqueurs, ils multiplient les activités criminelles en tissant des réseaux parmi les commerçants et en rivalisant d'audace avec les autres bandes. Les Apaches, souvent déçus par la société et méprisant le « travail honnête », ont choisi un mode de vie alternatif : ils vivent pour le vol et les femmes.

Au fil des ans, l'insécurité se fait de plus en plus sentir dans les quartiers périphériques. Malgré cela, les Parisiens de cette époque sont optimistes, presque insouciants quant à l'avenir. Grâce aux progrès technologiques, le positivisme et le scientisme font leur apparition dans les mentalités. La science permet des exploits impensables naguère et, à l'aube de ce xxᵉ siècle qui s'annonce, tout paraît alors possible.

**Petit lexique de la Zone**

*Bénouse* : pantalon

*Bénouse largeot du bas* : pantalon patte d'éléphant

*Bénouse à poche à la mal au ventre* : pantalon à pont, comme en portent les marins.

*Bobs* : dés

*Business* : prostitution

*Chanstiquer* : changer

*Éponges* : poumons

*Avoir les éponges mitées* : avoir la tuberculose

*Gaufre* : casquette

*Lafs* : fortifications

*Marmite* : prostituée

*Miché* : client

*Ruban* : trottoir

*Surin ou rapière* : couteau

*Une toute cousue* : une cigarette

# À PROPOS DE L'AUTEUR

Né en 1970, Stéphane Tamaillon, très tôt passionné par la littérature, la bande dessinée et le cinéma, a dévoré les ouvrages d'Hergé, de Stephen King ou d'Arthur Conan Doyle avant de découvrir le cinéma « de genre ». Les extra-terrestres de Spielberg, les monstres de Carpenter ainsi que les vieux films de science-fiction et d'aventure des années 1950 ont nourri son imaginaire. Après un passage par l'école des Beaux-Arts, il a suivi des études d'histoire pour devenir enseignant.

*L'Ogre de la Couronne* est son premier roman. La littérature pour la jeunesse lui permet de contenter son goût pour l'Histoire avec un grand H, mais aussi celui qu'il conserve pour les récits mystérieux et les séries B de son enfance.

# connexion ⚛ LES 400 COUPS

*Cet ouvrage a été achevé d'imprimer en janvier 2009*
*sur les presses de Transcontinental Métrolitho*